niveau **2**

Régine Mérieux
Yves Loiseau

connexions

Cahier d'exercices

Didier

Table des crédits

Couverture : © Max Dia/Getty Images
Intérieur : p. 59, 60 : © Philippe Roy/Hoa Qui ; p. 59, 60 : © Felix Zaska/Corbis ; p. 24a : © Jean-Yves Bruel/Masterfile ; p. 24c : © Régine Mahaux/Getty Images ; p. 23 : © The Bridgeman Art Library/Adagp, Paris 2004 ; p. 24e © Le Nouvel Observateur ; p. 43 : © Prisma Presse - Ça m'intéresse ; p. 96 : © Le Monde ; p. 106, 107 : © Le Journal du Management ; p. 71 : Les Maudits Français : Paroles et Musique de Lynda Lemay © Editions Raoul Breton ; p. 81 : a © La Ligue contre le cancer (www.ligue-cancer.net), b © Institut Pasteur (www.pasteur.fr)/Photographe Raymond Depardon, c © Un enfant par la main (www.unenfantparlamain), d © La chaîne de l'espoir (www.chaine-espoir.asso.fr)

Illustrations :
Cyrille Berger : 5, 7, 57, 62, 98
Jean-Pierre Joblin : 29, 30, 37, 52, 56, 72
Photographies :
Yves Loiseau : pages 4, 5

Nous avons recherché en vain les auteurs ou les ayants droits de certains documents reproduits dans ce livre. Leurs droits sont réservés aux Éditions Didier.

Conception couverture : Chrystel Proupuech
Conception maquette : Pauline Bonnet
Mise en pages : Nelly Benoit

1004866680

© Les Éditions Didier, Paris 2004   ISBN 2-278-05534-8   Imprimé en France

Achevé d'imprimer en février 2006 par Hérissey (101117) - Dépôt légal : 5534/05

SOMMAIRE

1
....
Au quotidien

Livre de l'élève
pages 8 et 9

Exercice 1

Lisez les indications et associez chaque titre à un de ces mots : *quotidien, hebdomadaire, mensuel, trimestriel, semestriel, annuel.*

1. *Le Monde* du lundi 28 juin 2004. ➔ _ _ _ _ _

2. *Le français dans le monde - Recherches et applications* : 2 numéros par an. ➔ _ _ _ _ _

3. *Psychologie magazine* - octobre 2004 - n° 237. ➔ _ _ _ _ _

4. *L'Express* - semaine du 28 juin au 4 juillet 2004. ➔ _ _ _ _ _

Exercice 2

Écrivez les phrases en français standard.
Exemple : Y a une fille qu'habite chez moi ! ➔ *Il y a une fille **qui** habite chez moi.*

1. Y a pas de problème ! ➔ _ _ _ _ _

2. Non, je sais pas. ➔ _ _ _ _ _

3. Tu as vu la lettre qu'est arrivée ce matin ? ➔ _ _ _ _ _

4. Je crois qu'y a une erreur ! ➔ _ _ _ _ _

5. Non, c'est pas la mienne. ➔ _ _ _ _ _

Outils

Dans la maison

Livre de l'élève
pages 10 et 11

Exercice 3

A La photo de votre partenaire ne montre pas les mêmes objets. Posez-lui des questions et écrivez quels objets manquent sur votre photo.

1. _ _ _ _ _ _ _ _ _ _

2. _ _ _ _ _ _ _ _ _ _

3. _ _ _ _ _ _ _ _ _ _

4. _ _ _ _ _ _ _ _ _ _

B La photo de votre partenaire ne montre pas les mêmes objets. Posez-lui des questions et écrivez quels objets manquent sur votre photo.

1. _

2. _

3. _

4. _

Les tâches ménagères

**Livre de l'élève
pages 10 et 11**

Exercice 4

Complétez les légendes des dessins.

1. Elle fait les _ _ _ _ _

2. Il fait le _ _ _ _ _

3. Elle fait la _ _ _ _ _

4. _ _ _ _ _

5. _ _ _ _ _

6. _ _ _ _ _

Complétez les phrases avec des mots de cette liste.

attendre	parfumer	(une) baignoire	(un) évier
inquiéter	plier	(un) cafard	(les) fringues
installer	ranger	(un) cauchemar	(un) répondeur
ouvrir	tromper	(une) couette	(un) sachet

1. Oh là là, Mathilde n'est pas encore rentrée, ça me _ _ _ _ _ _.

2. Téléphone-moi ce soir. Si je ne suis pas là, laisse un message sur mon _ _ _ _ _ _.

3. Mets les carottes dans le _ _ _ _ _, je vais les laver tout à l'heure.

4. Quand la chemise est sèche, il faut la repasser avant de la _ _ _ _ _ et de la mettre dans le placard.

5. Agathe s'est réveillée cette nuit : elle a fait un _ _ _ _ _ avec des monstres et des personnes très méchantes.

6. Jérémie ! Est-ce que tu pourrais _ _ _ _ _ ta chambre s'il te plaît, mettre tes livres sur les étagères, tes chaussures dans le placard et les vieux papiers dans la poubelle ?

Écrivez les verbes entre parenthèses au présent.

1. Audrey et Guillaume (revenir) _ _ _ _ _ d'Italie demain matin.

2. Parle plus fort, je ne (entendre) _ _ _ _ _ pas.

3. Nous (pouvoir) _ _ _ _ _ continuer demain, si vous (vouloir) _ _ _ _ _ _.

4. Hum, ça (sentir) _ _ _ _ _ bon !

5. Qu'est-ce que vous (prendre) _ _ _ _ _ ? Un café ?

6. Non, je ne (connaître) _ _ _ _ _ pas son numéro de téléphone.

7. Elle ne (avoir) _ _ _ _ _ pas envie de partir.

8. Quoi ? Qu'est-ce que tu (dire) _ _ _ _ _ ?

9. Cette année, Benoît (apprendre) _ _ _ _ _ l'espagnol.

10. Moi, je (acheter) _ _ _ _ _ toujours mes fruits au marché.

Écrivez les verbes entre parenthèses au passé composé.

1. Comment ? Vous (ne pas comprendre) _ _ _ _ _ ?

2. Maman, je (recevoir) _ _ _ _ _ une lettre de Kimiko !

3. Stéphanie (se déguiser) _ _ _ _ _ en clown.

4. Et vous madame, vous (arriver) _ _ _ _ _ à quelle heure ?

5. Léa (s'asseoir) _ _ _ _ _ sur les genoux de son père.

6. Je (ne pas avoir besoin) _ _ _ _ _ de mon dictionnaire.

7. Elle (s'amuser) _ _ _ _ _ tout le week-end avec ses amis.

8. Il (descendre) _ _ _ _ _ l'escalier trop vite et il (tomber) _ _ _ _ _.

9. Nous lui (offrir) _ _ _ _ _ un bouquet de roses.

10. Alors, ça te (plaire) _ _ _ _ _ ?

Exercice 8

Écrivez le texte au passé composé.

Hier, Élodie a organisé une fête chez elle. Le matin, elle _ _ _ _ _ _ _ _ _ _ _ _ _ _ _ _ _ _ _

_ _

_ _

L'imparfait

**Livre de l'élève
pages 12 et 13**

Exercice 9

Complétez le tableau.

	je / tu	il / elle / on	nous	vous	ils / elles
repasser	repassais				
plier		pliait			
aller			allions		
avoir				aviez	
être					étaient
venir					
faire					
croire					

Écrivez les verbes entre parenthèses à l'imparfait.

1. L'usine chimique (polluer) _ _ _ _ _ toute la région.

2. Vous (connaître) _ _ _ _ _ mon ancien directeur ?

3. Le son (être) _ _ _ _ _ mauvais, nous ne (comprendre) _ _ _ _ _ rien.

4. Ils nous (attendre) _ _ _ _ _ encore.

5. Nous ne (pouvoir) _ _ _ _ _ pas sortir le soir.

6. À l'école, on (apprendre) _ _ _ _ _ à bien écrire.

7. Ils (s'ennuyer) _ _ _ _ _ beaucoup pendant les vacances.

8. On (attendre) _ _ _ _ _ l'arrivée de l'été.

9. Grand-mère nous (offrir) _ _ _ _ _ du lait chaud et des biscuits.

10. Elle (aimer) _ _ _ _ _ la mer et les plages mais, à moi, ça ne me (plaire) _ _ _ _ _ pas.

Julien s'est marié. Imaginez comment était sa vie avant son mariage.

Avant son mariage	Après son mariage
Il mangeait des pizzas et des quiches.	Il prend de vrais repas.
- -	Il rentre à la maison à 17 h 30, après son travail.
- -	Le soir, il reste à la maison et regarde la télévision.
- -	Le week-end, il va chez les parents de sa femme.
- -	Il n'invite pas ses amis à la maison tous les soirs.
- -	Il fait le ménage chaque semaine avec sa femme.
- -	Sa femme et lui ont une belle voiture.
- -	Il porte de beaux vêtements.

Écrivez les verbes entre parenthèses à l'imparfait.

Au début du mois de juillet, nous (partir) _ _ _ _ _ chez mon oncle et ma tante qui (habiter) _ _ _ _ _ à la campagne. On (rester) _ _ _ _ _ là-bas au moins deux semaines. Je (aimer) _ _ _ _ _ bien aller chez eux. Il y (avoir) _ _ _ _ _ des animaux et puis je (pouvoir) _ _ _ _ _ passer toutes mes journées à me promener avec mes cousins. Ils me (apprendre) _ _ _ _ _ plein de choses que je ne (connaître) _ _ _ _ _ pas en ville.

Exercice 13

Regardez la photo et imaginez comment on vivait à la campagne en 1905 (vêtements, transports, nourriture, logement...). Écrivez votre texte à l'imparfait..

- -

- -

- -

- -

phonétique

[i] - [y] - [u]
**Livre de l'élève
page 13**

Exercice 14 🎧

[i] - [y]
Écoutez et cochez la case qui convient, puis répétez.

1. ❑ Un grand cri.   ❑ Un grand cru.
2. ❑ Je l'ai émis.   ❑ Je l'ai ému.
3. ❑ Regarde la mire.   ❑ Regarde la mûre.
4. ❑ Elle aime l'émir.   ❑ Elle aime les mûres.
5. ❑ Voilà ma mise.   ❑ Voilà ma muse.

Exercice 15 🎧

[y] - [u]
Écoutez et cochez la case qui convient, puis répétez.

1. ❑ Une grosse bulle.   ❑ Une grosse boule.
2. ❑ Il est sûr.   ❑ Il est sourd.
3. ❑ Au-dessus de la porte.   ❑ Au-dessous de de la porte.
4. ❑ Elle l'a vu ?   ❑ Elle l'avoue ?
5. ❑ C'est ma rue.   ❑ C'est ma roue.

Exercice 16 🎧

[i] - [y] - [u]
Écoutez et cochez la case qui convient, puis répétez.

1. ❑ biche   ❑ bûche   ❑ bouche
2. ❑ bile   ❑ bulle   ❑ boule
3. ❑ dit   ❑ dû   ❑ doux
4. ❑ écrit   ❑ écru   ❑ écrou
5. ❑ mille   ❑ mule   ❑ moule
6. ❑ pile   ❑ pull   ❑ poule
7. ❑ pire   ❑ pure   ❑ pour
8. ❑ kir   ❑ cure   ❑ cours

[i] - [y] - [u]
Écoutez et cochez la case qui convient.

	1	2	3	4	5	6	7	8	9
[i]	X								
[y]									
[u]									

E x e r c i c e 18

Écoutez et complétez les mots avec les lettres *i, u* ou *ou*.

1. Ça gl _ _ sse !

2. Un fromage à la l _ _ che.

3. J'ai un b _ _ t.

4. On s _ _ ffle.

5. Quelle f _ _ le !

6. Vous l _ _ vrez ?

7. Il y a un peu de br _ _ me.

8. C'est un c _ _ l-de-sac.

9. Mange tes ép _ _ nards !

Vu sur Internet

La place des adjectifs

**Livre de l'élève
pages 14 et 15**

E x e r c i c e 19

Remplacez les mots soulignés par les mots entre parenthèses. Faites les accords nécessaires.

1. Isabelle a fait un <u>gâteau</u> délicieux. (une tarte) → _ _ _ _ _ _ _ _ _ _ _ _ _ _ _ _

2. Viens voir ma nouvelle <u>voiture</u>. (un ordinateur) → _ _ _ _ _ _ _ _ _ _ _ _ _ _ _ _

3. On a mangé dans un bon <u>restaurant</u>. (une crêperie) → _ _ _ _ _ _ _ _ _ _ _ _ _ _

4. Nous avons rencontré une vieille <u>femme</u> (un homme) → _ _ _ _ _ _ _ _ _ _ _ _ _ _

5. Cette <u>fille</u> est complètement folle ! (un garçon) → _ _ _ _ _ _ _ _ _ _ _ _ _ _ _ _

6. Non, ce <u>pantalon</u> est trop grand. (une veste) → _ _ _ _ _ _ _ _ _ _ _ _ _ _ _ _

7. J'ai rencontré des <u>étudiants</u> français. (une étudiante) → _ _ _ _ _ _ _ _ _ _ _ _

Exercice 20

Placez l'adjectif à côté du nom souligné. Faites les accords nécessaires.
Exemple : *(grand) Ils ont une <u>maison</u>.* → *Ils ont une grande maison.*

1. (bon) Je vais en vacances avec une <u>amie</u>. → _

2. (intelligent) J'aime travailler avec des <u>étudiantes</u>. → _

3. (chinois) On est allés manger dans un <u>restaurant</u>. → _ _ _ _ _ _ _ _ _ _ _ _ _ _ _ _ _ _ _

4. (nouveau) Adrien va acheter un <u>appartement</u>. → _

5. (vieux) On a trouvé trois <u>cartes</u> postales. → _

6. (autre) Les étudiants ne veulent pas d'<u>exercices</u>. → _ _ _ _ _ _ _ _ _ _ _ _ _ _ _ _ _ _

7. (prochain) On va prendre le <u>train</u>. → _

8. (joli) Il a rencontré une <u>fille</u>. → _

9. (intéressant) Je vais vous raconter une <u>histoire</u>. → _ _ _ _ _ _ _ _ _ _ _ _ _ _ _ _ _ _

10. (nouveau) Bénabar a sorti un <u>album</u>. → _

Le tien, la tienne

**Livre de l'élève
page 15**

Exercice 21

Écoutez et cochez la case qui correspond au pronom possessif.

1. ❑ Votre chien ❑ Votre fille ❑ Vos enfants
2. ❑ Mon portefeuille ❑ Ma valise ❑ Mes lunettes
3. ❑ Leur livre ❑ Leur voiture ❑ Leurs photos
4. ❑ Son couteau ❑ Sa carte ❑ Ses clés
5. ❑ Notre sandwich ❑ Notre invitation ❑ Nos places
6. ❑ Ton magazine ❑ Ta feuille ❑ Tes chaussures

Exercice 22

Remplacez les mots soulignés par *le mien, le tien, le sien...*

1. – Bon, vous allez me donner vos exercices écrits.
– Euh, excusez-moi, je n'ai pas fait <u>mes exercices</u> !

2. – Félicitations ! Bravo pour votre présentation !
– Oh, mais <u>votre présentation</u> était très bonne aussi !

3. – Oh, j'ai oublié mon dictionnaire.
– Attends, tu peux prendre <u>mon dictionnaire</u>.

4. – Je t'appelle, j'ai ton numéro de portable.
– Oui, mais moi je n'ai pas <u>ton numéro</u>.

5. – À qui est cette valise ?
– C'est <u>ma valise</u> !

6. – Hé, c'est le chien des voisins, non ?
– Euh, non, non, <u>leur chien</u> a les oreilles noires.

7. – Alors, elle n'est pas mal la maison de Sandrine et Mickaël, hein ?
– Euh, oui, elle est bien. Mais je préfère <u>notre maison</u> !

8. – Est-ce que tu as des ciseaux ?
– Non. Mais demande à Arnaud, il va te passer <u>ses ciseaux</u>.

La chanson française des années 2000

Livre de l'élève
pages 16 et 17

Exercice 23

Lisez le texte et répondez aux questions.

Après le succès de l'album *Tu vas pas mourir de rire* et trois récompenses aux Victoires de la musique 2004, *Rythmes et chansons* a rencontré Mickey, le chanteur, auteur et compositeur du groupe Mickey 3D.

Rythmes et chansons : Aux Victoires de la musique 2004, Tu vas pas mourir de rire a reçu le titre de « meilleur album pop-rock » et Respire les titres de « chanson originale de l'année » et « meilleur vidéo clip ». Une surprise ?

Mickey : Tu as oublié le Prix Constantin en novembre ! [rires] Surpris ? Oui, évidemment ! Dans ce genre de cérémonie, on espère toujours qu'on va gagner sans vraiment croire qu'on va gagner, et puis finalement quand on reçoit une récompense, on est tout surpris. Mais il faut quand même dire qu'on a bien bossé depuis notre premier disque en 99.

Mistigri Torture.

Oui, *Mistigri Torture*. Mais c'est dingue ! Tu connais tous nos disques ! [rires]

Oui, j'essaie de bien faire mon travail. Tu es toujours l'auteur des chansons ?

Oui et non. Pour les paroles et les accompagnements musicaux, c'est moi. Mais après, on finit les chansons ensemble, avec Najah et Jojo. On est trois dans le groupe, alors chacun participe un peu.

Où est-ce que tu as trouvé tes idées pour écrire Tu vas pas mourir de rire ?

En négatif, dans les trucs qui m'énervent : le développement mondial, la pollution et l'exploitation des petits par les grands. En positif, les oiseaux, le silence, la nuit, la nature...

Tu parles beaucoup de l'enfance dans le disque, pourquoi ?

L'enfance a été le moment le plus agréable et le plus sain de ma vie. En plus, regarder le monde avec une vision d'enfant nous permet de voir que le monde d'aujourd'hui est vraiment mal fait.

Il y a une grande part d'auto-biographie dans tes paroles ?

Oui et non, elles sont plutôt imaginaires, mais avec des sentiments personnels.

Bientôt un prochain disque ?

Attends ! On a sorti *Tu vas pas mourir de rire* en 2003 et *Live à Saint-Étienne* en 2004 ! Laisse-nous souffler un peu ! Mais oui, promis, on va vous faire un nouveau disque... bientôt !

Et beaucoup de concerts ?

Oui, on n'arrête pas ! On nous invite partout. On a déjà fait les grandes salles, le Zénith à Paris... Et puis, moi, j'aime bien les festivals : on fait le Printemps de Bourges, les Eurockéennes à Belfort, les Vieilles Charrues à Carhaix... Et ça va continuer...

1. Comment s'appellent les trois personnes qui constituent le groupe Mickey 3D ?
2. Trois de leurs disques sont cités dans le texte. Quels sont les titres de ces trois disques ?
3. Quel est le titre d'une des chansons du disque sorti en 2003 ?
4. Qui compose les chansons du groupe Mickey 3D ?
5. De quoi les chansons parlent-elles ?
6. Que sont le « Printemps de Bourges » et les « Vieilles Charrues » ?

Exercice 24

Lisez les définitions et complétez la grille de mots croisés.

	1	2	3	4	5	6	7	8	9	10	11	12	13	14	15
a															
b															
c															
d															
e					R										
f					O										
g					I		E		O						
h							M		R						
i							M		D						
j							E		R						
k							L		E						
l							E								
m							R								
n	S	A	L	E									T	V	A
o															

HORIZONTALEMENT

a. Tous les six mois.

b. Masculin de « de la ». Cet.

c. Insecte des cuisines. Début d'exercice. Pas mauvais.

d. Fin du mois de mars.

e. Sorte de lavabo. Plus de deux.

f. Vieille.

g. Bâtiment religieux. Beaucoup d'eau.

i. Toutes les semaines.

j. À nous.

k. Avec la tasse à café.

l. Dire au futur. Moins de deux.

m. Avec. Pour manger les légumes.

n. Pas propre. Taxe à la valeur ajoutée.

o. Machine électrique pour le ménage.

VERTICALEMENT

1. Petit sac. Plus d'un.

2. Bâtiment pour les malades.

3. Vêtements familiers.

4. Boisson chaude.

5. Certain. Chef d'État.

6. Devoir au passé.

7. Mélanger.

8. Parfaite.

9. Elle et lui. Commande.

10. À elle. Petite avenue.

11. Pour prendre un bain.

12. Pays d'Asie.

13. Tous les mois. Recherche.

14. Voir au passé.

15. Pour le lit. Mauvais rêve.

2 L'amour de l'art

Exercice 1

Livre de l'élève
pages 18 et 19

Complétez cet extrait d'article avec les mots qui conviennent.

architecture
culture
peinture
œuvre
cinéma
musée
réflexion
collection

Le _ _ _ _ _ des Arts contemporains de notre ville vient d'acheter une nouvelle _ _ _ _ _ d'art de 1730 pour compléter sa _ _ _ _ _ du XVIIIᵉ siècle. Après l'achèvement de la construction de la maison des associations et l'agrandissement du Grand Théâtre, la ville montre une nouvelle fois sa volonté d'enrichir les possibilités d'accès à la _ _ _ _ _ _ .

Exercice 2

Récrivez les phrases en mettant au passé récent les verbes soulignés.
Exemple : Tu l'as vu ? → Tu viens de le voir ?

1. Ah ! J'<u>ai pris</u> une bonne douche, ça fait du bien ! → _ _ _ _ _ _ _ _ _ _ _ _ _ _ _ _ _ _ _

2. On <u>a fait</u> deux heures de football, on est crevés ! → _ _ _ _ _ _ _ _ _ _ _ _ _ _ _ _ _ _ _

3. Nous <u>avons mangé</u> dans un petit restaurant très sympathique. → _ _ _ _ _ _ _ _ _ _ _ _ _ _ _ _

4. Ah ! bon ? Vous <u>avez vu</u> Flora au Jardin du Luxembourg ? → _ _ _ _ _ _ _ _ _ _ _ _ _ _ _ _

5. Nicolas ? Non, il n'est pas en vacances, je l'<u>ai vu</u> dans la rue ! → _ _ _ _ _ _ _ _ _ _ _ _ _ _ _

6. C'est vrai ? Marie t'<u>a appelé</u> ? → _ _ _ _ _ _ _ _ _ _ _ _ _ _ _ _ _ _ _

Exercice 3

Complétez ces réponses en utilisant le passé récent.

1. – Qu'est-ce que tu fais ? Tu vas poster ta lettre ?
   – Non, _ .

2. – Où est Sarah ? Elle est partie ?
   – Ah ! oui, _ .

3. – Bon, tu te coiffes et on s'en va ?
   – Mais, _ _ _ _ _ _ _ _ _ _ _ _ _ _ _ _ _ _ !

4. – Allo ? C'est moi. Philippe et Pascale sont rentrés ?
   – Oui, tu as de la chance, _ _ _ _ _ _ _ _ _ _ _ _ .

5. – Tu peux m'expliquer ce problème, s'il te plaît ?
   – Encore ! Mais, _ _ _ _ _ _ _ _ _ _ _ _ _ _ _ _ _ !

Exercice 4

Écoutez ces personnes et cochez les cases qui conviennent.

Dialogue 1

Ils sont allés

- ❏ au cinéma.
- ❏ à la bibliothèque.
- ❏ à un concert.
- ❏ dans un musée.
- ❏ dans un café.

La femme

- ❏ a aimé.
- ❏ n'a pas aimé.

L'homme

- ❏ a aimé.
- ❏ n'a pas aimé.

Dialogue 2

Ils sont allés

- ❏ au cinéma.
- ❏ à la bibliothèque.
- ❏ à un concert.
- ❏ dans un musée.
- ❏ dans un café.

La femme

- ❏ a aimé.
- ❏ n'a pas aimé.

L'homme

- ❏ a aimé.
- ❏ n'a pas aimé.

Exercice 5

Complétez les tableaux.

Noms	Verbes
1. _ _ _ _ _	sculpter
2. un enregistrement	_ _ _ _ _
3. _ _ _ _ _	peindre
4. une coupure	_ _ _ _
5. _ _ _ _ _	réfléchir

Noms	Verbes
6. _ _ _ _ _	arriver
7. un départ	_ _ _ _ _
8. _ _ _ _ _	proposer
9. une réservation	_ _ _ _ _
10. _ _ _ _ _	inviter

Outils

Demander à quelqu'un son opinion

**Livre de l'élève
pages 20 et 21**

Exercice 6

Écoutez et complétez les répliques.

1. Alors Bénédicte, _ _ _ _ _ _ _ _ _ _ cette exposition au Château de Beaulieu ?

2. _ _ _ _ _ _ _ _ _ c'est un film amusant ?

3. _ _ _ _ _ _ _ _ _ _, ce cédé ?

4. Et toi, petite fille, _ _ _ _ _ _ _ _ _ les animaux sauvages ?

5. _ _ _ _ _ _ _ _ _ de cette pièce de théâtre ?

6. _ _ _ _ _ _ _ _ le roman policier que je t'ai prêté ?

Exercice 7

Trouvez ci-dessous la réponse à chacune des questions de l'exercice 6.

a. Ah ! oui, très drôle !

b. Ah ! oui, moi j'adore les lions et les grandes girafes.

c. Pas mal : il y avait de jolis tableaux du XVIIIᵉ.

d. Génial ! Je l'ai lu en une nuit !

e. Ce n'était pas mal joué mais la mise en scène n'était pas extraordinaire.

f. Bof... En fait, je n'aime pas beaucoup le jazz.

Écrivez des questions variées pouvant correspondre à chacune de ces réponses.

1. – _

– Oui, beaucoup. Moi, j'apprécie toujours ce genre de spectacle.

2. – _

– On a trouvé que c'était bien mais un peu long.

3. – _

– J'ai détesté mais Jean-Louis a bien aimé.

4. – _

– Oui, je crois que c'est intéressant.

5. – _

– Non, ça ne m'a pas plu du tout ; et à toi ?

Écoutez ces personnes et, parmi les cinq questions (1 à 5) et les cinq réponses (a à e) proposées, retrouvez celles que vous avez entendues dans les dialogues. Ensuite, indiquez en face de chaque phrase le prénom de la personne qui l'a prononcée.

1. Tu as aimé... : _ _ _ _ _ _ _ _ _ _ _ _ _ _ _ _ _

2. Est-ce que ça vous a plu... : _ _ _ _ _ _ _ _ _

3. Qu'est-ce que tu as pensé / vous avez pensé de... : _

4. Tu crois / vous croyez que c'est intéressant... : _ _ _ _ _

5. Comment trouves-tu / trouvez-vous... : _ _ _ _ _ _

a. J'ai adoré... : _ _ _ _ _ _ _ _ _ _ _ _ _ _ _ _

b. Moi, j'ai préféré... : _ _ _ _ _ _ _ _ _ _ _ _ _

c. Je ne supporte pas... : _ _ _ _ _ _ _ _ _ _ _

d. Je trouve / J'ai trouvé que... : _ _ _ _ _ _ _ _

e. À mon avis... : _ _ _ _ _ _ _ _ _ _ _ _ _ _ _ _

L'interrogation

Livre de l'élève pages 20 et 21

Transformez les questions selon l'exemple.
Exemple : Pierre est arrivé ? → Pierre est-il arrivé ?

1. Tu as regardé le film sur Arte hier soir ? → _

2. Est-ce que vous pourriez m'aider, s'il vous plaît ? → _

3. Est-ce que ta sœur va venir dîner avec nous ? → _

4. Quelle carte est-ce que tu as choisie ? → _

5. Combien coûte cette voiture magnifique ? → _

6. Vous allez où avec tous ces sacs ? → _

7. Alice connaissait bien ta grand-mère ? → _

8. Est-ce que Louis et Anne ont revu leur amie de Bombay ? → _ _ _ _ _ _ _ _ _ _ _ _ _ _ _ _ _ _

Exercice 11

Posez le même type de question que dans l'exemple (avec inversion) sur chaque élément souligné.
Exemple : Nous l'avons payé <u>120 euros</u>. → *Combien l'avez-vous payé ?*

1. Lise et Marc vont <u>au Mexique</u> cet été.

2. Maxime est parti ce matin <u>en voiture</u>.

3. Vous passerez nous voir <u>la semaine prochaine</u>.

4. Louis ne pourra pas jouer samedi <u>à cause de son problème de genou</u>.

5. <u>Ah ! Oui</u>, Sylvie a aimé le spectacle !

6. On sera à la maison <u>à 18 h 30</u>.

7. Ah ! bon ? Tu as choisi <u>le pantalon violet</u> !

8. <u>Dimanche ? Je vais chez mon frère</u>.

Exprimer le but

<u>Livre de l'élève
pages 22 et 23</u>

Exercice 12

Parmi ces phrases, retrouvez celles qui expriment le but.

1. Elle ne m'a rien dit pour le rendez-vous de samedi.

2. Si vous voulez, je vous rejoindrai en fin de repas.

3. Pour me joindre, appelle le 01 45 65 98 00 et demande ensuite le poste 321.

4. Je crois qu'il m'a dit ça pour que je ne dise rien à Paula.

5. Explique bien toute l'histoire afin que nous puissions vraiment comprendre.

6. Regarde, j'ai un petit cadeau pour tous les enfants.

7. Afin de choisir mes prochaines vacances, je consulte de nombreux sites sur Internet et je vais aussi dans les agences de voyages.

8. Malheureusement, je suis arrivé à la fin du film.

Exercice 13

Associez un élément de chaque colonne.

1. Ils ont interrogé les blessés

2. On vous enverra un plan détaillé

3. On sera tous avec toi

4. J'ai toutes les informations

5. Je vais appeler Thierry

6. Il m'a bien expliqué la situation

7. Appelle-moi demain soir

8. Je ne vous ai pas rappelé

a. afin que je ne sois pas surpris.

b. pour l'inviter.

c. afin de comprendre les causes de l'accident.

d. pour fêter tes 30 ans !

e. afin de ne pas vous déranger une nouvelle fois.

f. afin que vous trouviez l'adresse facilement.

g. pour qu'on fixe une heure de rendez-vous.

h. pour trouver la maison d'Ali.

1	2	3	4	5	6	7	8

Faites une seule phrase en utilisant *pour* ou *pour que*.

1. Vous devez partir un peu en vacances. Vous vous reposerez.

2. Elle lui a donné son numéro de portable. Il l'appellera quand il sera à Nice.

3. Je vous ai apporté quelques spécialités de ma région. Vous les goûterez.

4. Je vais prendre un taxi. Je vais rentrer chez moi.

5. Antje et Frantz nous invitent samedi. Ils fêtent leur anniversaire de mariage.

6. Je vais raccompagner Sophie jusque chez elle. Elle ne sera pas seule et elle n'aura pas peur.

Le subjonctif

Livre de l'élève
page 23

Exercice 15

Mettez les verbes entre parenthèses au subjonctif.

1. J'aimerais bien que vous (refaire) _ _ _ _ _ cet exercice.

2. Passe donc à la maison pour qu'on (partir) _ _ _ _ _ tous ensemble.

3. Afin que tout le monde (pouvoir) _ _ _ _ _ lire, pensez à écrire assez gros.

4. Ma femme voudrait que je (être) _ _ _ _ _ plus sérieux mais je n'y arrive pas.

5. Je ne sais plus quoi faire pour qu'il me (comprendre) _ _ _ _ _ !

6. Ce serait très drôle que Lise et Marc (revenir) _ _ _ _ _ ici le même jour.

7. Viens assez tôt pour que nous (avoir) _ _ _ _ _ le temps de discuter.

8. Le professeur veut qu'on (être) _ _ _ _ _ bien à l'heure chaque jour.

Exercice 16

Complétez le tableau avec les formes au subjonctif qui manquent.

	je / il / elle / on	tu	vous	ils / elles
manger	mange			
prendre		prennes		
avoir			ayez	
être				soient
pouvoir				

Exercice 17

Complétez les phrases avec le verbe proposé à la forme qui convient.

1. Je voudrais bien que vous (m'écouter) _ _ _ _ _ .

2. On va arrêter la musique pour que Léa (dormir) _ _ _ _ bien.

3. Il faut que vous (voir) _ _ _ _ notre nouvelle maison.

4. Je sais bien que tu ne me (croire) _ _ _ _ pas, pourtant c'est la vérité.

5. Je suis sûr qu'il (avoir) _ _ _ _ plus de 50 ans !

6. J'aimerais revoir mon médecin pour lui (parler) _ _ _ _ de mes problèmes d'allergie.

7. Il m'a donné tous les documents afin que je (prendre) _ _ _ _ le temps de les lire tranquillement à la maison.

8. Je lui ai montré des photos du Sénégal pour qu'il (avoir envie) _ _ _ _ _ d'y aller avec moi.

Exercice 18

Écoutez et repérez si le verbe proposé dans le tableau est à l'indicatif ou au subjonctif. Cochez la case qui convient.

	1. se souvenir	2. venir	3. pouvoir	4. mettre	5. partir	6. venir
indicatif						
subjonctif						

Vu sur Internet

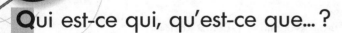

Qui est-ce qui, qu'est-ce que… ?

**Livre de l'élève
pages 24 et 25**

Exercice 19

Complétez les phrases avec *qui* ou *que*.

1. – _ _ _ _ est-ce qui fait tout ce bruit ?
– Ne t'inquiète pas, c'est la machine à laver.

2. – _ _ _ _ est-ce que tu as vu chez Florence ?
– Il y avait sa sœur et son beau-frère.

3. – _ _ _ _ est-ce qui a pris le stylo rouge ?
– C'est moi, pardon, j'ai oublié de le reposer sur le bureau.

4. – _ _ _ _ est-ce que tu penses de cette exposition ?
– Elle est très belle ; j'ai beaucoup aimé la galerie des expressionnistes.

5. – _ _ _ _ est-ce que vous attendez ?
– Sylvie.

6. – _ _ _ _ est-ce qui a vu ce film ?
– Je ne sais pas. Moi, je ne l'ai pas vu.

Complétez les phrases avec *qui* ou *que*.

1. Qu'est-ce _ _ _ _ _ tu as fait ?

2. Qui est-ce _ _ _ _ _ vous a raconté cette histoire ?

3. Qu'est-ce _ _ _ _ _ tu regardes comme ça ?

4. Qui est-ce _ _ _ _ _ pourrait m'aider, s'il vous plaît ?

5. Qui est-ce _ _ _ _ _ elle a préféré dans le spectacle ?

6. Qui est-ce _ _ _ _ _ a trois yeux, deux nez et quatre oreilles* ?

* un menteur

Complétez les questions avec *qui est-ce qui, qui est-ce que, qu'est-ce qui* ou *qu'est-ce que*.

1. – _ _ _ _ _ _ _ _ _ tu attends ?

– Le bus. Il doit passer dans cinq minutes.

2. – _ _ _ _ _ _ _ _ _ t'a offert ce magnifique cadeau ?

– C'est Jean-Louis, pour mes 30 ans.

3. – _ _ _ _ _ _ _ _ _ tu vas voir à Paris ?

– Mes copains d'université. On est toujours contents de se retrouver.

4. – _ _ _ _ _ _ _ _ _ tourne autour du soleil ?

– La Terre !

5. – _ _ _ _ _ _ _ _ _ a deux pattes le matin, quatre pattes l'après-midi et trois pattes le soir ?

– L'homme (parce que quand il est bébé il marche à quatre pattes, adulte il est sur ses deux jambes et quand il est vieux, il a besoin d'une canne).

6. – _ _ _ _ _ _ _ _ _ tu vas dire aux enfants ?

– Je vais leur dire la vérité.

A Posez différents types de questions à votre partenaire pour compléter le tableau.

nom	_ _ _ _ _ _ _ _	Aurore Quentin	Benoît Rastaing	_ _ _ _ _ _ _ _
âge	32 ans	_ _ _ _ _ _ _ _	45 ans	_ _ _ _ _ _ _ _
profession	_ _ _ _ _ _ _ _	hôtesse d'accueil	_ _ _ _ _ _ _ _	étudiante en sociologie
lieu d'habitation	La Source, près d'Orléans	_ _ _ _ _ _ _ _	Paris, IIIe	
état civil	marié	célibataire	_ _ _ _ _ _ _ _	_ _ _ _ _ _ _ _
aime...	_ _ _ _ _ _ _ _	_ _ _ _ _ _ _ _	aime l'art et le cinéma.	aime ses amis et dormir.
déteste...	déteste le sport et l'hiver.	_ _ _ _ _ _ _ _	déteste la télévision.	_ _ _ _ _ _ _ _

B   Posez différents types de questions à votre partenaire pour compléter le tableau.

nom	Michel Dupuis	- - - - - - - - - -	- - - - - - - - - -	Valérie Séchet
âge	- - - - - - - - - -	25 ans	- - - - - - - - - -	19 ans
profession	informaticien	- - - - - - - - - -	agent commercial au chômage	- - - - - - - - - -
lieu d'habitation	- - - - - - - - - -	Nice, en centre ville	- - - - - - - - - -	Neuilly
état civil	- - - - - - - - - -	- - - - - - - - - -	célibataire	célibataire
aime...	aime lire et regarder la télévision.	aime bien ne rien faire.	- - - - - - - - - -	- - - - - - - - - -
déteste...	- - - - - - - - - -	déteste le bruit et la musique moderne.	- - - - - - - - - -	déteste la violence, la politique et les guerres.

Exercice 23

Posez des questions sur les éléments soulignés. Utilisez *qui est-ce qui, qui est-ce que, qu'est-ce qui* ou
qu'est-ce que dans vos questions.

1. -

Moi. Je pourrai conduire la voiture de Marc
pour rentrer d'Auxerre.

2. -

On a mangé <u>des fruits de mer</u>.

3. -

J'ai vu <u>Muriel et Alain</u> chez mes parents.

4. -

Le directeur attend <u>la visite de Monsieur
Forestier</u>.

5. -

Lise attend <u>François</u> qui doit arriver vers
20 heures.

6. -

J'attends <u>une lettre de mes amis australiens</u>.

7. -

<u>Ils</u> attendent l'été avec impatience.

8. -

<u>Cette armoire</u> pèse 200 kg !

phonétique

[ɛ̃] (lin) [ɑ̃] (lent) [ɔ̃] (long)

Livre de l'élève
page 25

Exercice 24 🎧

Écoutez et cochez la case qui convient.

	1	2	3	4	5	6	7	8
[ɑ̃]								
[ɔ̃]								

Exercice 25 🎧

Écoutez et cochez la case qui convient.

	1	2	3	4	5	6	7	8	9	10
[ɛ̃]										
[ɑ̃]										
[ɔ̃]										

Exercice 26 🎧

Écoutez et corrigez les phrases qui ne correspondent pas à l'enregistrement.
*Exemple : C'est très ~~lent~~ → C'est très **long**.*

1. Tu n'aimes pas le pain ?

2. Regarde maman.

3. Moi j'adore le vent.

4. C'est très important !

5. Tu t'es trempé.

6. Ça va durer cinq minutes.

7. Il s'en vend.

8. Mettez-vous en rang !

Exercice 27 🎧

Écoutez et complétez.

1. C'est _ _ rom_ _ vraim_ _t passionn_ _t.

2. Regarde, j'ai acheté une l_ _pe très marr_ _te !

3. Oui, _ _ a _registré l'émissi_ _ d'hier mat_ _.

4. Dem_ _, Marc passe ses premiers exam_ _s.

5. _ _ all_ _t en directi_ _ du p_ _t, j'ai r_ _c_ _tré
Louise et Man_ _.

6. _suite, ils s_ _t partis s_ _s ri_ _ dire.

7. Il revi_ _dra d_ _s c_ _q mois _vir_ _.

8. Vivem_ _t dim_ _che ! _ _ part _ _ vac_ _ces à la
c_ _pagne.

L'art et la culture

Livre de l'élève
pages 26 et 27

Exercice 28

Lisez le texte et cochez la réponse qui convient.

Maurice Denis

En 1889, la vocation précoce de Maurice Denis, le « Nabi aux belles icônes », était déjà bien confirmée. En juillet 1888, il s'était déjà représenté dans un *Autoportrait* au crayon, vêtu d'une veste d'artiste et lavallière au cou ; c'était l'année de son entrée à l'École des Beaux-Arts et à l'Académie Julian où il allait rencontrer Sérusier, Bonnard, Ibels et Ranson. C'était aussi l'année du *Talisman* de Sérusier (Paris, musée d'Orsay).

Portrait de l'artiste à l'âge de 18 ans.

En 1889, il peint déjà des œuvres aussi engagées que les deux premières versions de *Mystère catholique* (coll. Part. et Saint-Germain-en-Laye, musée départemental Maurice Denis) et *Montée au* *Calvaire* (musée d'Orsay). L'année suivante sera celle de sa fameuse définition du tableau comme « une surface plane... » qui fera de lui le théoricien le plus actif du mouvement nabi.

L'artiste s'est souvent représenté depuis le début de sa carrière jusqu'à son âge mûr, soit seul dans des toiles à la mise en page inventive, soit en compagnie de membres de sa famille. Dans ces images diverses, il apparaît toujours tel que le décrivait Bonnard en 1945, deux ans après sa mort, comme si les années n'avaient que peu de prise sur lui : « Denis avait une figure ronde, plutôt souriante où se lisaient la volonté et la réflexion. Son œil bleu regardait à l'intérieur. »

Pierre Bonnard, cat. Exp. *Maurice Denis*, musée national d'Art Moderne, 1945, p. 5, « Présentation par Pierre Bonnard ».

---

1. Les dates de naissance et de décès de Maurice Denis sont :
- ❏ 1870 – 1943.
- ❏ 1888 – 1945.
- ❏ 1889 – 1943.

2. Maurice Denis appartenait au mouvement des
- ❏ Nabis.
- ❏ Fauvistes.
- ❏ Impressionnistes.

3. Le tableau représenté à côté du texte est un portrait de
- ❏ Pierre Bonnard.
- ❏ Maurice Denis.
- ❏ Paul Sérusier.

4. Le Talisman est un tableau
- ❏ peint en 1888 par Paul Sérusier.
- ❏ peint en 1889 par Paul Sérusier.
- ❏ peint en 1888 par Maurice Denis.

5. D'après ce qu'on apprend dans le texte, Maurice Denis a peint beaucoup
- ❏ de paysages.
- ❏ d'autoportraits.
- ❏ de natures mortes.

6. Pierre Bonnard est mort
- ❏ avant Maurice Denis.
- ❏ la même année que Maurice Denis.
- ❏ après Maurice Denis.

7. Pierre Bonnard était impressionné par
- ❏ le sourire de Maurice Denis.
- ❏ ses yeux.
- ❏ sa figure.

3

Toujours plus !

Écoutez et associez un slogan à chaque publicité.

b

dialogue	1	2	3	4	5
document					

a

c

PROMO !
Safari au Kenya à partir
de 795 euros !

8 jours / 7 nuits
en chambre double et pension complète
Vol aller-retour inclus au départ de Paris

10 pays rejoignent l'Union le 1er mai
EUROPE : LES RETROUVAILLES

le nouvel **Observateur** www.nouvelobs.com

Les nouveaux
CÉLIBATAIRES

ILS INVENTENT
D'AUTRES FAÇONS
D'ÊTRE ENSEMBLE

e

d

Exercice 2

Complétez les slogans de l'exercice 1 avec les éléments qui conviennent.
Exemple : **1g**

1. Mon linge est si doux...

a. pour aller toujours plus loin !

b. de belles soirées en famille ou entre amis.

2. Encore plus de lecture et d'information...

c. et on peut parler plus longtemps.

d. la télé aux meilleures conditions.

3. Plus de goût et moins de sucre...

e. pour seulement 52 € par an.

f. vite, à table !

4. Image parfaite, son irréprochable...

g. que je ne peux plus m'en passer.

h. réservez vite votre voyage !

5. Les plus belles destinations aux meilleurs prix...

i. faites vos valises !

j. alors pourquoi résister ?

Exercice 3

Avec chaque élément de l'exercice 2 que vous n'avez pas utilisé, imaginez un slogan publicitaire et écrivez à quel produit chaque slogan correspond.
Exemple : Essayez la nouvelle petite Renault, pour aller toujours plus loin en toute sécurité !
        (une voiture)

1. _____

2. _____

3. _____

4. _____

Complétez les phrases avec certains des mots proposés.

intéressant - pratique - délicieux - économique - séduisant - bon marché - agréable

1. 19,90 € par mois pour 3 heures de communications téléphoniques, non, ce n'est pas cher. Au contraire, c'est très _ _ _ _ _ .

2. J'adore les nouvelles barres chocolatées *Mielchoc* ; elles sont vraiment _ _ _ _ _ .

3. 6 litres pour 100 kilomètres en ville, c'est une voiture très _ _ _ _ _ !

4. Non, je n'aime pas du tout cette machine à café, elle n'est pas _ _ _ _ _ _ .

5. C'est très _ _ _ _ _ de voyager dans ce train : rapide, silencieux et peu cher.

Toutes ces phrases vantent un produit. Amusez-vous à les compléter.

1. Moi j'utilise *Cécidoux* pour tout mon linge parce que _ _ _ _ _ .

2. Avec les baskets *Grand Balance*, on _ _ _ _ _ !

3. Avec le nouveau shampoing volumateur de *Marnier*, _ _ _ _ _ .

4. C'est parce que _ _ _ _ _, que chaque jour je mange des produits bio.

5. Quand _ _ _ _ _, je croque mon chocolat *Sibon*.

6. Chaque matin, je donne à mes enfants _ _ _ _ _ pour que _ _ _ _ _ _ .

Outils

Comparer
Livre de l'élève pages 30 et 31

Écoutez et corrigez les affirmations qui sont fausses.

1. Sa sœur est moins grande que Louis.

2. Les Dubois ont autant d'argent que les Prunier.

3. Sa mère travaille moins que son père.

4. Marion court plus vite que Colette.

5. L'année dernière, elle dormait plus que cette année.

6. La rouge est aussi chère que la jaune.

Complétez avec *plus (de)*, *aussi*, *autant (de)*, *moins (de)*.

1. Je préférerais ce gâteau, il y a _ _ _ _ _ chocolat...

2. Elle est déçue parce qu'elle n'a pas réussi le concours _ _ _ _ _ bien que l'année dernière.

3. J'achète un peu _ _ _ _ _ vêtements qu'avant parce que je suis moins riche.

4. Je n'ai pas _ _ _ _ _ travaillé mais j'ai réussi _ _ _ _ bien. J'ai de la chance !

5. Je préfère la campagne, il y a _ _ _ _ _ pollution qu'en ville.

6. Pierre a _ _ _ _ cheveux qu'Arthur et il est _ _ _ _ _ gros que son frère. Ils se ressemblent énormément.

7. Donnez-moi un peu _ _ _ _ _ crème, s'il vous plaît. J'adore ça !

8. Dur, le travail : il faut toujours travailler _ _ _ _ _ mais on ne gagne pas _ _ _ _ _ argent !

Exercice 8

Faites des phrases variées pour comparer les éléments proposés.

1. regarder un film à la télévision - regarder un film au cinéma

2. l'Europe - l'Amérique

3. la littérature - le sport

4. la campagne - la ville

5. Gérard Depardieu - Johnny Depp

6. le jazz - le rap

7. dormir - travailler

8. une chaise - un canapé

Exercice 9

Lisez ces informations et écrivez quelques phrases variées pour comparer Lille et Montpellier.
Exemple : Il y a plus d'habitants à Lille qu'à Montpellier.

LILLE est la capitale européenne de la culture. Elle se situe au nord de la France et compte, avec ses 87 communes, plus d'un million d'habitants. Elle se situe au cœur du triangle Paris-Londres-Bruxelles et, en TGV, elle n'est qu'à une heure de la capitale française. Cette ville présente un harmonieux mélange de l'ancien (la Vieille Bourse date de 1652) et du nouveau (les tours ultramodernes d'Euralille construites en 1994). Lille, la plus jeune ville de France, compte plus de 95 000 étudiants. Il ne fait pas toujours beau à Lille mais cette métropole a une vie culturelle et festive si riche qu'on en oublie le climat.

MONTPELLIER est la capitale de la région Languedoc-Roussillon. Cette ville a été créée du Xe au XIIe siècle par des Juifs, des Musulmans et des Chrétiens et elle porte en elle des valeurs de tolérance et de fraternité. C'est une ville tranquille au bord de la Méditerranée et on peut y apprécier la douceur du climat. Montpellier compte 230 000 habitants et plus de 60 000 étudiants. C'est une ville jeune : 36,6 % de la population a moins de 25 ans (34,1 % au niveau national) qui a une vie culturelle intense. Il ne faut que 3 h 15 pour rejoindre Paris en TGV.

Exprimer un jugement de valeur

Livre de l'élève
pages 32 et 33

Exercice 10

Cochez la réponse qui convient, puis comparez vos réponses avec celles de votre voisin(e).

1. Quel est le pays le plus grand ?
❑ l'Allemagne
❑ la France
❑ l'Espagne

2. Quelle est la montagne la moins élevée ?
❑ l'Everest
❑ le Mont-Blanc
❑ l'Elbrouz

3. Quel est le pays le plus peuplé ?
❑ la Chine
❑ les États-Unis d'Amérique
❑ l'Inde

4. Quelle est la ville la plus grande ?
❑ Paris
❑ Madrid
❑ Rome

5. Quel est le véhicule le moins polluant.
❑ la voiture
❑ la moto
❑ le tramway

6. Quelle ville est la plus chaude en été ?
❑ Rekjavic
❑ Lisbonne
❑ Berlin

7. Quel est le chanteur le plus connu ?
❑ La Grande Sophie
❑ Johnny Hallyday
❑ Bénabar

8. Quelle ville est la plus proche de Paris ?
❑ Montpellier
❑ Dijon
❑ Lyon

Exercice 11

Complétez ces slogans avec *le/la/les (plus)* ou *le/la/les (moins)*.

1. Vous serez _ _ _ _ _ heureux des hommes dans votre jolie villa en bord de mer.

2. Venez goûter les thés _ _ _ _ _ meilleurs du monde dans notre salon *Au fil du thé*.

3. _ _ _ _ _ cher et _ _ _ _ _ performant des lave-linge se trouve chez *Tarty* !

4. Donnez chaque jour les aliments _ _ _ _ _ complets à vos enfants !

5. Regarde ! _ _ _ _ _ lourd et _ _ _ _ _ joli des téléphones portables !

6. Nouvelle *Rondo*, _ _ _ _ _ pratique et _ _ _ _ _ économique des petites voitures.

Exercice 12

Donnez votre avis personnel sur ces questions. Répondez.

1. Quelle est la plus jolie ville du monde ? _ _ _ _

2. Qui est le meilleur acteur de cinéma ? _ _ _ _ _

3. Quelle est la boisson la moins bonne ? _ _ _ _

4. Quel est le pays du monde le plus joyeux ? _ _ _ _ _ _ _ _ _ _ _ _ _

5. Quelle est la ville la plus intéressante de votre pays ? _ _ _ _ _ _ _ _ _ _ _ _ _ _ _ _

6. Quelle est la meilleure cuisine ? _ _ _ _ _ _ _ _ _

7. Quels sont les sports les plus impressionnants ? _ _ _ _ _ _ _ _ _ _ _ _ _

8. Quelles sont les émissions de télévision les moins intéressantes ? _ _ _ _ _ _ _ _ _ _ _ _ _ _

Exercice 13

Transformez les phrases en faisant varier la place de l'adjectif.

Exemples : C'est le plus beau livre de ma collection. → C'est le livre le plus beau de ma collection.
C'est le garçon le plus gentil qui habite ici. → C'est le plus gentil garçon qui habite ici.

1. Pour moi, c'est le plus beau pays du monde ! → _

2. Je vous présente le cheval le plus petit de l'écurie. → _

3. À mon avis, c'est le moins joli tableau de l'artiste. → _

4. Les plus belles femmes seront au défilé des grands couturiers. → _

5. Je ne l'aime pas ; c'est la moins bonne voiture de cette marque. → _

6. Ce restaurant a la terrasse la plus belle de la région. → _

7. Ce sont les meilleurs bonbons que nous fabriquons. → _

8. C'est le plus vieil étudiant de notre classe. → _

Exercice 14

Lisez les réponses aux questions du jeu télévisé *Questions en pagaille* et posez les questions. Vous pouvez utiliser les adjectifs donnés ou en proposer d'autres.

Exemple : La tour Eiffel (connu) → Quel est le monument parisien le plus connu dans le monde ?

1. Le TGV ; rapide

2. La Chine ; peuplé

3. Le steak-frites ; aimé

4. Le Mont-Blanc ; haut

5. La Loire ; long

6. Le musée du Louvre ; visité

7. Zinedine Zidane ; bon

8. Paris ; jolie

Exercice 15

Interrogez votre voisin pour compléter votre fiche.

A					
Philippe	_ _ _ _ _	Lucas	Laure	_ _ _ _ _	_ _ _ _ _
_ _ _ _ _	20 ans	_ _ _ _ _	_ _ _ _ _	22 ans	50 ans

Philippe a un an de moins que Patricia.
Laure est très mince. Elle porte de grandes lunettes.
La personne la plus petite est plus jeune que Lucas.
La jolie Marie est la plus jeune de tous. Elle a deux ans de moins qu'Éric.
Patricia est mariée.

B

	Marie			Éric	Patricia
- - - - -		- - - - - 21 ans	- - - - -		
- - - - -	- - - - -		- - - - -	- - - - -	- - - - -

Patricia est la plus âgée. Elle est mince mais un peu plus grosse que Laure.
Laure a 32 ans.
Philippe est très grand et toujours très bien habillé.

Éric a 22 ans et il est le plus petit des hommes.
Lucas a un an de plus que Marie.
Laure est la femme la plus grande.
Marie a une sœur.

phonétique

[t] - [d]

Livre de l'élève page 33

Exercice 16

Écoutez et répétez.

1. Tu veux du thé ?
2. Martin est parti à Toulouse.
3. L'attente est terrible.
4. Demande-lui son adresse.
5. Il y avait deux candidats.

6. Donnez-moi du jus d'orange, s'il vous plaît.
7. Il est étudiant en médecine.
8. C'est une veste à la mode.
9. Oui, c'est entendu, mademoiselle.
10. Élodie est une étudiante très discrète.

Exercice 17

Écoutez et dites si vous entendez [d] au début, au milieu ou à la fin du mot.

	1	2	3	4	5	6	7	8
début								
milieu								
fin								

Exercice 18

Écoutez et dites combien de fois vous entendez [t] dans chaque phrase.

1. _____   3. _____   5. _____

2. _____   4. _____   6. _____

Vu sur Internet

Exercice 19

**Livre de l'élève
pages 34 et 35**

Lisez le document puis choisissez la réponse qui convient.

Je me prénomme Octave et m'habille chez APC. Je suis publicitaire : eh oui, je pollue l'univers. Je suis le type qui vous vend de la merde. Qui vous fait rêver de ces choses que vous n'aurez jamais. Ciel toujours bleu, nanas jamais moches, un bonheur parfait, retouché sur PhotoShop. Images léchées, musiques dans le vent. Quand, à force d'économies, vous réussirez à vous payer la bagnole de vos rêves, celle que j'ai shootée dans ma dernière campagne, je l'aurai déjà démodée. J'ai trois vogues d'avance, et m'arrange toujours pour que vous soyez frustré. Le Glamour, c'est le pays où l'on n'arrive jamais. Je vous drogue à la nouveauté, et l'avantage avec la nouveauté, c'est qu'elle ne reste jamais neuve. Il y a toujours une nouvelle nouveauté pour faire vieillir la précédente. Vous faire baver, tel est mon sacerdoce. Dans ma profession, personne ne souhaite votre bonheur, parce que les gens heureux ne consomment pas.

22

Frédéric Beigbeder, *15,99 €*, éditions Grasset.

1. Le document est
❏ une publicité.
❏ un extrait de roman.
❏ un article de journal.
❏ une critique de film.

2. Il est question de
❏ la publicité.
❏ l'univers.
❏ rêves.
❏ la mode.

3. Les publicitaires jouent avec
❏ le réalisme des consommateurs.
❏ leurs rêves.
❏ leur réflexion.

4. Concernant la publicité, F. Beigbeder pense que
❏ le monde moderne est parfait.
❏ le monde de la publicité avance très vite.
❏ les consommateurs ne sont pas des victimes.

5. Les publicitaires essaient toujours de
❏ satisfaire les consommateurs.
❏ créer de nouvelles envies chez les consommateurs.
❏ faire plaisir aux consommateurs.

6. Pour les publicitaires, les meilleurs consommateurs sont les gens
❏ heureux.
❏ malheureux.

Toujours, déjà, encore...

Livre de l'élève
pages 34 et 35

Exercice 20

Associez les questions aux réponses.

1. Il a toujours autant d'amis ?
2. Tu as encore un peu d'argent ?
3. Jean a toujours tes livres ?
4. Il a déjà vu ta sœur ?
5. Tu connais Lionel ?
6. Tu as de l'argent ?

a. Non, il ne les a plus.
b. Oui, il en a toujours beaucoup.
c. Non, je ne l'ai jamais vu.
d. Oui, il l'a déjà rencontrée.
e. Non, je n'en ai jamais.
f. Non, je n'en ai plus.

1	2	3	4	5	6

Exercice 21

Complétez les réponses.

1. – Tu es déjà allé à Paris ?
– Oui, je _

2. – Vous avez toujours votre petit chien blanc ?
– Non, je _

3. – C'est vrai que Paul va souvent chez Lucie ?
– Non, il _

4. – Tu as déjà écrit la lettre pour Anne ?
– Non, je _

5. – Tes enfants sont déjà allés au cirque ?
– Oui, _

6. – Vous êtes toujours professeur de français ?
– Oui, _

Exercice 22

Écoutez puis cochez la (les) réponse(s) qui convient (conviennent).

1. ❏ Le courrier n'est pas encore arrivé.
❏ Elle a reçu une carte d'anniversaire.
❏ Le courrier est arrivé mais il n'y a pas de carte.

2. ❏ Il a déjà vu le nouveau théâtre.
❏ Il verra bientôt le nouveau théâtre.
❏ Il n'a pas encore vu le nouveau théâtre.

3. ❏ Il n'a jamais habité rue Jules Charpentier.
❏ Il habite toujours rue Jules Charpentier.
❏ Il n'habite plus rue Jules Charpentier.

4. ❏ Elle ne va plus à la piscine.
❏ Elle va encore à la piscine.
❏ Elle ne va jamais à la piscine.

La publicité

Livre de l'élève
pages 36 et 37

Exercice 23

a) Lisez ces opinions et associez un titre à chacune.

a. Le fléau qu'est devenue la publicité

b. Un monde de fous

c. Les qualités essentielles...

d. Pub, je t'aime... mais pour combien de temps encore ?

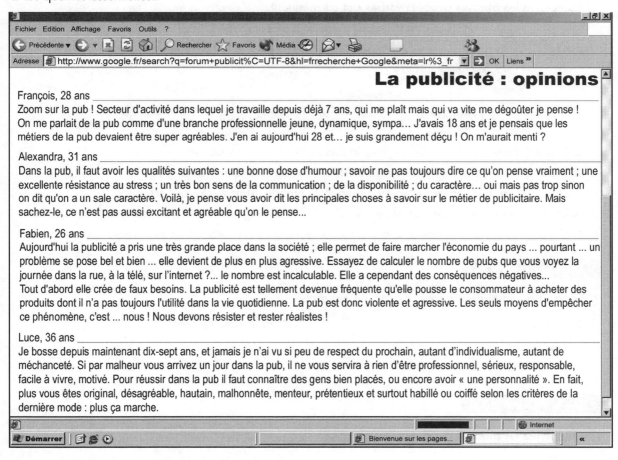

La publicité : opinions

François, 28 ans
Zoom sur la pub ! Secteur d'activité dans lequel je travaille depuis déjà 7 ans, qui me plaît mais qui va vite me dégoûter je pense ! On me parlait de la pub comme d'une branche professionnelle jeune, dynamique, sympa... J'avais 18 ans et je pensais que les métiers de la pub devaient être super agréables. J'en ai aujourd'hui 28 et... je suis grandement déçu ! On m'aurait menti ?

Alexandra, 31 ans
Dans la pub, il faut avoir les qualités suivantes : une bonne dose d'humour ; savoir ne pas toujours dire ce qu'on pense vraiment ; une excellente résistance au stress ; un très bon sens de la communication ; de la disponibilité ; du caractère... oui mais pas trop sinon on dit qu'on a un sale caractère. Voilà, je pense vous avoir dit les principales choses à savoir sur le métier de publicitaire. Mais sachez-le, ce n'est pas aussi excitant et agréable qu'on le pense...

Fabien, 26 ans
Aujourd'hui la publicité a pris une très grande place dans la société ; elle permet de faire marcher l'économie du pays ... pourtant ... un problème se pose bel et bien ... elle devient de plus en plus agressive. Essayez de calculer le nombre de pubs que vous voyez la journée dans la rue, à la télé, sur l'internet ?... le nombre est incalculable. Elle a cependant des conséquences négatives...
Tout d'abord elle crée de faux besoins. La publicité est tellement devenue fréquente qu'elle pousse le consommateur à acheter des produits dont il n'a pas toujours l'utilité dans la vie quotidienne. La pub est donc violente et agressive. Les seuls moyens d'empêcher ce phénomène, c'est ... nous ! Nous devons résister et rester réalistes !

Luce, 36 ans
Je bosse depuis maintenant dix-sept ans, et jamais je n'ai vu si peu de respect du prochain, autant d'individualisme, autant de méchanceté. Si par malheur vous arrivez un jour dans la pub, il ne vous servira à rien d'être professionnel, sérieux, responsable, facile à vivre, motivé. Pour réussir dans la pub il faut connaître des gens bien placés, ou encore avoir « une personnalité ». En fait, plus vous êtes original, désagréable, hautain, malhonnête, menteur, prétentieux et surtout habillé ou coiffé selon les critères de la dernière mode : plus ça marche.

b) Rendez à chaque personne son opinion.

François : _ _ _ _ _   **Alexandra :** _ _ _ _ _   **Fabien :** _ _ _ _ _   **Luce :** _ _ _ _ _

1. Pense que le monde de la pub n'est pas aussi beau qu'il en a l'air.

2. Pense qu'il ne faut pas toujours être trop direct pour réussir dans la pub.

3. Dit que dans la pub, c'est mieux d'être prétentieux que sérieux.

4. Commence à avoir des doutes sur le monde de la pub.

5. Pense que la motivation n'est pas vraiment nécessaire.

6. Pense que la pub est trop violente.

4
Le tour du monde en 80 jours

Exercice 1

Livre de l'élève
pages 42 et 43

Complétez les phrases avec les verbes qui conviennent.

croire   exister   rêver
compter   repartir
trouver
croiser   ranger   raconter
s'arrêter   traverser   décider
commencer   respecter   suivre

1. Tout à l'heure, j'ai _ _ _ _ _ Sylvie dans la rue, mais elle ne m'a pas vu.

2. Il faut que tu me _ _ _ _ _ ton voyage ! C'était comment l'Afrique ? Tu as aimé ?

3. Je _ _ _ _ _ de faire un grand voyage autour du monde. Mais je n'ai pas d'argent...

4. On est allés en Bulgarie en voiture. On a _ _ _ _ _ l'Allemagne, l'Autriche, la Hongrie et la Roumanie.

5. On a _ _ _ _ _ notre voyage le 2 octobre et on est arrivés à Moscou trois mois plus tard, le 2 janvier.

Exercice 2

Écrivez un minidialogue avec chacun de ces mots.

1. évidemment

- -

- -

2. malheureusement

- -

- -

Exercice 3

Complétez les phrases avec *aussi* ou *non plus*.

1. – On trouve que c'est un peu cher.

– Oui, moi _ _ _ _ _ _ _ _ _ _ _ _ _ _ _ _ .

2. – Alexandre n'a pas réussi son examen.

– Amélie _ _ _ _ _ _ _ _ _ _ _ _ _ _ _ .

3. – J'habite à Lyon, mais je suis de Toulouse.

– Ah bon ? De Toulouse ? Ma femme _ _ _ _ _ !

4. – Non, je ne veux pas aller à Strasbourg, je n'ai pas le temps !

– Oui, bah, moi _ _ _ _ _ _ _ _ _ _ !

5. – Je vais à la boulangerie chercher des croissants.

– Et des pains au chocolat _ _ _ _ _ _ _ _ _ _ !

6. – Elle parle coréen, français et espagnol ?

– Oui, et chinois _ _ _ _ _ _ _ _ _ _ _ _ !

7. – Il est tard, mais Baptiste n'a pas envie de dormir.

– Et Constance _ _ _ _ _ _ _ _ _ _ _ _ .

8. – On ne peut pas tourner à droite ici !

– Et on ne peut pas tourner à gauche _ _ _ _ _ !

Exercice 4

Utilisez *même* pour écrire une seule phrase avec les informations proposées.

Exemple : Il s'appelle Claude. Elle s'appelle Claude. → *Ils ont le même prénom.*

ou → *Il a le même prénom qu'elle.*

1. La Renault coûte 14 000 euros. La Peugeot coûte 14 000 euros.

2. Audrey est née le 12 mars 1989. Léa est née le 23 mai 1989.

3. Simon a 18 ans. Valérie a 19 ans.

4. José arrivera à Dakar le 14 octobre. Émilie arrivera à Dakar le 14 octobre.

5. Marie a fait les exercices 23 et 24. Louisa a fait les exercices 25 et 26.

6. J'habite au 93 rue Pierre Ronsard. Christine habite au 64 rue Pierre Ronsard.

7. Ma sœur est dentiste. Ma belle-sœur est dentiste.

8. Vincent a les yeux verts. Nathalie a les yeux verts.

Exercice 5

Complétez avec *en* ou *à*.

en voiture.

On a voyagé

_ _ _ _ _ vélo   _ _ _ _ _ cheval

_ _ _ _ _ pied   _ _ _ _ _ ballon

_ _ _ _ _ avion   _ _ _ _ _ train

_ _ _ _ _ autocar   _ _ _ _ _ bateau

Outils

S'exprimer au passé

**Livre de l'élève
pages 44 et 45**

Exercice 6

Écrivez les verbes entre parenthèses au passé composé.

1. Mon amie Mariko (retourner) _ _ _ _ _ au Japon la semaine dernière.

2. Excusez-moi, je (ne pas comprendre) _ _ _ _ _ ce que vous (dire) _ _ _ _ _ .

3. Qu'est-ce que tu (faire) _ _ _ _ _ pendant les vacances ?

4. Est-ce que vous (choisir) _ _ _ _ _ ?

5. Non, je (ne pas le voir) _ _ _ _ _ .

6. Est-ce que Marc (te téléphoner) _ _ _ _ _ ?

7. Monsieur et Madame Retailleau (venir) _ _ _ _ _ hier matin pour vous voir.

8. Nous (aller) _ _ _ _ _ chez Sandrine vendredi.

Écrivez les verbes entre parenthèses à l'imparfait.

1. Les ordinateurs familiaux n'(exister) _ _ _ _ _ pas avant 1980.

2. Je ne (savoir) _ _ _ _ _ pas qu'elle (habiter) _ _ _ _ _ à Annecy.

3. Ça me (permettre) _ _ _ _ _ de rentrer chez moi plus tôt.

4. Il (faire) _ _ _ _ _ très froid.

5. Ils nous (attendre) _ _ _ _ _ à l'entrée du théâtre.

6. Léa ne (vouloir) _ _ _ _ _ pas me croire.

7. Nous (devoir) _ _ _ _ _ arriver à 10 h 30.

8. Elle ne (voir) _ _ _ _ _ pas très bien.

Écoutez puis complétez le texte.

– À la sortie de Metz, il y _ _ _ _ _ un jeune qui _ _ _ _ _ du stop. Il _ _ _ _ _ un panneau écrit « Besançon ».

– Besançon !

– J'_ _ _ _ _ tout seul dans la voiture, alors je me _ _ _ _ _ _. Quand j'_ _ _ _ _ jeune, je _ _ _ _ _ beaucoup d'auto-stop, alors maintenant, quand je peux, j'aime bien aider les autres. Bon, il _ _ _ _ _ dans la voiture. C'_ _ _ _ _ un touriste lituanien.

– Ah, ouais ?

– Il _ _ _ _ _ à Besançon voir une amie qui _ _ _ _ _ là-bas. Il _ _ _ _ _ assez bien français. Heureusement, parce que moi, le lituanien... Il _ _ _ _ _ très sympa. On _ _ _ _ _ de la Lituanie, de la France, de l'Europe... Et tu sais, à Nancy, au lieu de prendre l'autoroute vers Dijon, j'_ _ _ _ _ la nationale vers Belfort. Et je l'_ _ _ _ _ à dîner à Belfort. Évidemment, on _ _ _ _ _ à Besançon assez tard...

Écrivez les verbes entre parenthèses à l'imparfait ou au passé composé.

1. Mon fils (ne pas se sentir) _ _ _ _ _ bien ce matin, alors je (appeler) _ _ _ _ _ un médecin.

2. Le directeur (être) _ _ _ _ _ très fâché. Il (demander) _ _ _ _ _ à Philippe de refaire tout son travail.

3. Elle (me dire) _ _ _ _ _ « Ça va te coûter cher ! » et elle (partir) _ _ _ _ _.

4. Christian (parler) _ _ _ _ _ avec la serveuse du bar quand sa femme (arriver) _ _ _ _ _.

5. Elle (travailler) _ _ _ _ _ avec son ordinateur et, tout à coup, il (s'arrêter) _ _ _ _ _.

6. Il (ne pas pleuvoir) _ _ _ _ _ quand je (sortir) _ _ _ _ _.

7. Ils (manger) _ _ _ _ _ une flammeküeche à La Taverne et après ils (aller) _ _ _ _ _ au cinéma.

8. Elle (ne pas pouvoir) _ _ _ _ _ étudier hier soir parce qu'elle (avoir) _ _ _ _ _ mal aux yeux.

E x e r c i c e 10

Regardez les dessins et complétez l'histoire de *Cendrillon*.

1. Cendrillon était une jolie jeune fille qui habitait avec sa belle-mère et deux demi-sœurs. Elles étaient toutes les trois très méchantes. _

2. _

3. Le jour de la fête, une fée est venue voir Cendrillon. _

4. Elle lui a donné une belle robe et une voiture à cheval. Elle lui a dit aussi de rentrer avant minuit. _

5. _

6. _

7. _

8. _

E x e r c i c e 11

Regardez les dessins et imaginez ce qui est arrivé à Monsieur Coulon hier matin. Écrivez l'histoire (100 mots).

_ _
_ _
_ _
_ _
_ _

L'accord du participe passé

Livre de l'élève
pages 44 et 45

Exercice 12

Écrivez les verbes entre parenthèses au passé composé.

1. Tu as vu ta photo ? Je la (accrocher) _ _ _ _ _ ici, au-dessus de mon bureau.

2. Et la directrice ? Personne ne la (prévenir) _ _ _ _ _ ?

3. Tu te souviens des deux filles que je (rencontrer) _ _ _ _ _ samedi ?

4. Oui, elles sont superbes. C'est Rachid qui les (créer) _ _ _ _ _ _ .

5. Et quelles histoires est-ce qu'il vous (raconter) _ _ _ _ _ ?

6. Elle avait l'air sérieux, alors je la (croire) _ _ _ _ _ !

7. Chérie, où est-ce que tu as mis la chemise que tu (repasser) _ _ _ _ _ ?

8. Quels dialogues est-ce que vous (enregistrer) _ _ _ _ _ lundi ?

Exercice 13

Remplacez le mot souligné par un pronom (*le, la, les*) et faites les transformations nécessaires.

1. Ce sont les premières fraises. J'ai acheté ces fraises ce matin au marché.

2. Ce sont des masques de théâtre. J'ai rapporté ces masques quand je suis allé au Japon.

3. Ah, Fabienne ! Maria n'est pas là ? Tu n'as pas vu Maria ce matin ?

4. Je t'ai apporté deux livres d'Anna Gavalda. Tu as lu ces livres ?

5. Regarde cette erreur, là. Tu as déjà fait cette erreur hier.

6. Non, je n'ai pas ta carte ! Je n'ai pas pris ta carte !

7. On a ici une très belle œuvre. Claude Monet a peint cette œuvre en 1873.

8. Je ne trouve pas la farine. Où est-ce que tu as rangé la farine ?

Exercice 14 🎧

Écoutez et cochez la case qui convient.

1.	❑ appris	❑ apprise	**5.**	❑ mis	❑ mises
2.	❑ ouvert	❑ ouverte	**6.**	❑ offert	❑ offerte
3.	❑ écrit	❑ écrite	**7.**	❑ faite	❑ faites
4.	❑ détruit	❑ détruite	**8.**	❑ rejoint	❑ rejointe

Ça fait ... que - il y a ... que

Livre de l'élève
pages 46 et 47

Exercice 15

Transformez les phrases en utilisant *ça fait... que* ou *ça faisait... que*.

Exemple : – *Le réparateur n'est pas encore venu pour le lave-vaisselle !*

    – *Quoi ? je l'ai appelé il y a trois jours !* ➜ **Ça fait** *trois jours* **que** *je l'ai appelé !*

1. – Quand est-ce que le dernier bus est passé ?

    – Je ne sais pas. Moi, j'attends depuis dix minutes.   → _____

2. – Alex est revenu du Sénégal.

    – Oui, il était là-bas depuis six mois.   → _____

3. – Bon, c'est prêt ? On va manger ?

    – Euh, j'ai mis le poulet dans le four il y a seulement dix minutes. → _____

4. – Je ne suis pas trop en retard ?

    – Mais si ! La réunion a commencé il y a une demi-heure... → _____

5. – Ils ont déménagé ? Ils étaient à Paris depuis longtemps, non ?

    – Oui, ils habitaient à Paris depuis sept ans. → _____

6. – Fabienne n'est pas là ?

    – Non, elle est partie il y a cinq minutes. → _____

7. – Ana ? Tu l'as vue quand la dernière fois ?

    – Je ne l'ai pas vue depuis trois ou quatre ans. → _____

Exercice 16

Transformez les phrases : remplacez *depuis* **par** *ça fait / il y a … que* **ou** *ça faisait / il y avait … que.*
Exemple : Elle est partie depuis deux mois. → ***Ça fait** deux mois **qu'**elle est partie.*

1. Akiko apprend le français depuis six mois. → _____

2. On se connaît depuis 1994. → _____

3. Je l'attends depuis une demi-heure. → _____

4. Elle travaillait avec moi depuis le mois de janvier 2004. → _____

5. Il dormait depuis une heure. → _____

6. Je n'ai pas vu Daniel depuis une semaine. → _____

7. Il est dans le bureau du directeur depuis deux heures. → _____

Exercice 17

Transformez les phrases en utilisant les mots proposés entre parenthèses.

1. L'Estonie fait partie de l'Union européenne depuis le 1ᵉʳ mai 2004.

    → (il y a... que) _____

2. La pyramide du Louvre existe depuis 1984.

    → (ça fait... que) _____

3. La Martinique est un département français depuis 1946.

    → (il y a... que) _____

4. Le canal de Suez a été ouvert en 1869. Il était en construction depuis 1859.

    → (il y avait... que) _____

5. Les dinosaures ont disparu de la Terre il y a 75 millions d'années.

    → (ça fait... que) _____

6. La cathédrale Notre-Dame est présente au centre de Paris depuis environ huit siècles.

    → (il y a... que) _____

Complétez les phrases avec *ça fait / il y a* **ou** *ça faisait / il y avait*.

1. Corinne est une très bonne amie. _ _ _ _ _ au moins dix ans qu'on se connaît.

2. Nos voisins sont partis vivre à Lyon. _ _ _ _ _ trois ans qu'ils habitaient à Nancy.

3. Bon, alors, tu es prêt ? _ _ _ _ _ vingt minutes que je t'attends !

4. Vincent a été licencié le 15 septembre. _ _ _ _ _ cinq ans qu'il travaillait dans cette usine.

5. Non, Lisa n'habite plus ici, _ _ _ _ _ six mois qu'elle est partie en Pologne.

6. Ah bon, elle est à l'hôpital ! Et _ _ _ _ _ longtemps qu'elle est malade ?

7. Oh, oui, la quiche doit être cuite, _ _ _ _ _ 30 minutes que je l'ai mise dans le four.

Exercice 19

Rayez le mot qui ne convient pas.

1. Timothée reste à Varsovie (dans / jusqu'au) 21 décembre.

2. Claire travaille à Avignon (depuis / il y a) lundi dernier.

3. Stéphanie va étudier à Montréal (en / pendant) deux ans.

4. Avec l'autoroute, on va de Paris à Bourges (dans / en) moins de 2 heures, non ?

5. Bon, tu m'attends, je reviens (dans / pendant) deux minutes.

6. Il est malade (depuis / il y a) un mois.

Exercice 20

Écrivez une phrase avec chacun de ces mots.

1. depuis _

2. il y a _

3. pendant _

4. dans _

5. en _

6. jusqu'à _

phonétique

Je pense, je pensais, j'ai pensé

**Livre de l'élève
page 47**

Exercice 21

Écoutez puis répétez.

1. J'ai préféré attendre. - Je préférais attendre.

2. Je l'ai aimé. - Je l'aimais.

3. Vous ne respectez rien. - Vous ne respectiez rien.

4. Elle m'appelle. - Elle m'a appelé.

5. Il s'est fâché. - Il se fâchait.

6. Il l'adore. - Il l'adorait.

7. J'étais inquiète. - J'ai été inquiète.

Exercice 22

Écoutez puis cochez la phrase que vous entendez.

1	❑ Je l'ai accroché.	❑ Je l'accrochais	
2.	❑ Qu'est-ce qu'il t'a conseillé ?	❑ Qu'est-ce qu'il te conseillait ?	
3.	❑ Il l'a croisée chaque matin.	❑ Il la croisait chaque matin.	
4.	❑ On s'est promenés.	❑ On se promenait.	
5.	❑ Ça pollue la rivière.	❑ Ça polluait la rivière.	
6.	❑ Vous rêvez de partir.	❑ Vous rêviez de partir.	
7.	❑ L'avion décolle à huit heures.	❑ L'avion décollait à huit heures.	
8.	❑ Je ne la retrouve pas.	❑ Je ne la retrouvais pas.	

Exercice 23

Écoutez puis cochez la case qui convient.

	1	2	3	4	5	6	7	8
passé composé								
imparfait								

Vu sur Internet

Exprimer l'inquiétude et réconforter

Livre de l'élève pages 48 et 49

Exercice 24

Écrivez un minidialogue avec chacune de ces phrases.

1. Je suis inquiet.

- -

- -

2. Tu ne te rends pas compte !

- -

- -

3. Ne t'en fais pas !

- -

- -

4. Ce n'est pas grave.

- -

- -

Complétez le dialogue.

ANNE : Mon entreprise m'a offert un poste de responsable import-export dans une de nos usines en
Guinée.

DIDIER : Oh, c'est génial ! Tu as accepté ?

ANNE : Euh, pas encore. Je ne suis pas rassurée à l'idée de partir plusieurs années en Guinée.

- -

- -

- -

- -

La nominalisation

**Livre de l'élève
page 49**

Complétez les tableaux.

Verbes	Noms
contrôler	- - - - -
visiter	- - - - -
- - - - -	un achat
traverser	- - - - -
- - - - -	une arrivée
- - - - -	un départ
retourner	- - - - -

Verbes	Noms
communiquer	- - - - -
- - - - -	une diminution
modifier	- - - - -
loger	- - - - -
- - - - -	un changement
- - - - -	un passage
décoller	- - - - -

Récrivez ce programme de voyage en remplaçant les noms par des verbes.

VENDREDI :   départ de Paris à 15 heures ;   ➜ -

arrivée à Londres à 18h15 ;   ➜ -

installation à l'hôtel Royal Chelsea.   ➜ -

SAMEDI :   visite des musées.   ➜ -

DIMANCHE :   voyage en bus jusqu'à Canterbury ;   ➜ -

visite de la ville ;   ➜ -

retour à Londres le soir ;   ➜ -

départ pour Paris à 20h30.   ➜ -

L'évolution technique

Livre de l'élève
pages 50 et 51

STÉPHANE LÉVIN

1963 - Naissance au Cameroun le 26 avril.

1984 - Études de géologie à l'université de Toulouse.

1998 - Voyages en Amazonie, Orénoque, Arctique.

2002 - Départ de Toulouse pour l'expédition « Nuit polaire ».

Exercice 28

a) Lisez le texte et répondez aux questions

Il a surmonté la nuit polaire en solitaire.

Il n'a pas fait le tour du monde en 80 jours, mais il a résisté à 121 jours d'hivernage sur les terres gelées de l'Arctique et à 58 jours dans l'obscurité, par − 46°, et jusqu'à − 75° les jours de blizzard.

Ça m'intéresse : *Pourquoi vous êtes-vous lancé dans cette aventure ?*

Stéphane Lévin : Je voulais voir disparaître les derniers rayons de soleil, vivre la nuit polaire et être au même endroit pour voir apparaître le premier rayon... trois mois après.

Ça m'intéresse : *Qu'est-ce qui a été le plus dur pendant cette expédition ?*

Stéphane Lévin : Le froid. Mais ma principale crainte, c'était les ours. J'étais sur une zone de passage, j'avais de la nourriture, des chiens... Tout pour les attirer !

Ça m'intéresse : *Comment avez-vous géré ce stress ?*

Stéphane Lévin : Depuis deux ans, je m'entraîne comme un sportif de haut niveau. Et pendant 14 mois, j'ai suivi une préparation avec des médecins et un psychiatre. C'est ce psychiatre qui m'a enseigné l'auto-hypnose, pour réguler l'afflux de sang et envoyer la chaleur vers les mains et les pieds. Et tous les jours, je me soumettais à des tests pour voir si je n'allais pas déprimer !

Ça m'intéresse : *Mais vous n'avez pas craqué ?*

Stéphane Lévin : J'ai été à deux doigts de tout abandonner en janvier. Un jour, une tempête, avec des vents d'enfer dépassant les 120 km/h, a fait s'effondrer deux murs de neige construits autour de ma cabane. À ce moment-là, il faisait − 28° à l'intérieur, plus froid qu'un congélateur. Je suis alors passé en mode « survie ». Je ne faisais que les gestes essentiels. Le plus dur a été de voir les chiens pris dans la glace. Ils hurlaient. J'ai mis une heure à les libérer avec une hache.

Ça m'intéresse : *Qu'avez-vous ressenti au retour du soleil ?*

Stéphane Lévin : Un grand moment de bonheur... Ce 10 février à 13h17, j'ai pleuré des larmes de glace. Mais les chiots ont été effrayés ! Nés durant l'hiver, ils ne connaissaient pas le jour.

D'après un article de Danielle McCaffrey
Ça m'intéresse, août 2003.

---

1. Où Stéphane Lévin est-il allé en 2002 ?

2. Combien de temps est-il resté dans cet endroit ?

3. Qui l'a accompagné durant son expédition ?

4. N'importe quelle personne peut-elle partir en expédition comme Stéphane Lévin ? Pourquoi ?

5. Qu'est-ce que le *mode « survie »* ?

6. Pourquoi, un jour, au mois de janvier, les chiens hurlaient-ils ?

7. Pourquoi les chiots ont-ils été effrayés le 10 février ?

b) Utilisez les indications biographiques pour écrire un texte au passé.

Exercice 29

Jules Verne a écrit un roman intitulé *Cinq semaines en ballon*. Imaginez que vous avez effectué un voyage en ballon aussi long. Racontez votre voyage (200 mots).

5

Ici et ailleurs

Livre de l'élève
pages 52 et 53

E x e r c i c e   1

Complétez chaque phrase avec un des mots proposés. Faites les accords nécessaires.

supporter - boxer - respirer - s'entraîner - rembourrer -
respirer - grotte - spectre - bac - fleuve - chiffon - patate

1. On ne voit rien dans la _ _ _ _ _, prenons une lampe.

2. Je _ _ _ _ _ beaucoup pour le match de samedi.

3. Je préfère vivre à la campagne, je ne _ _ _ _ _ pas le bruit dans les villes.

4. On ne peut pas _ _ _ _ _ ici, il fait trop chaud !

5. Achète un kilo de _ _ _ _ _ pour manger avec le poulet !

6. Ah ! non, la Loire n'est pas une rivière. C'est un _ _ _ _ _ _.

7. Après son _ _ _ _ _, elle veut faire des études de médecine.

8. J'ai besoin de vieux _ _ _ _ _ pour nettoyer la voiture.

E x e r c i c e   2

Lisez le récit de Laïla puis cochez la réponse qui convient.

J'ai revu Simone. Un soir, je suis retournée au métro Réaumur-Sébastopol. Il me semblait qu'il y avait des années que je n'étais pas revenue. Quand j'ai entendu les coups de tambour résonner de loin dans le couloir, ça m'a fait frissonner. Je ne savais pas à quel point ça m'avait manqué. Et en même temps, tout ce qui s'était passé, avec la naissance du bébé, m'avait changée, peut-être vieillie. Comme si maintenant je percevais ce qu'il y avait derrière tous ces gestes, tous ces actes, le sens caché de cette musique.

Dans le couloir, à la croisée des tunnels, les joueurs étaient assis, ils frappaient sur les tambours. Il y avait ceux que je connaissais, les Antillais, les Africains, et d'autres que je n'avais jamais vus, un garçon avec des cheveux longs, la peau couleur d'ambre, de Saint-Domingue, je crois. Simone ne chantait pas. Elle était assise, le dos contre le mur, le visage masqué par des lunettes noires.

J. M. G. Le Clézio, *Poisson d'or*,
Gallimard.

	vrai	faux	?
1. Simone et Laïla se connaissaient déjà avant cette scène.	❏	❏	❏
2. Laïla vient à Paris pour la première fois.	❏	❏	❏
3. Laïla a horreur du son des tambours.	❏	❏	❏
4. Beaucoup de monde s'arrêtait pour écouter les musiciens.	❏	❏	❏
5. Laïla connaît tous les musiciens du métro.	❏	❏	❏
6. Simone joue du tambour dans le métro.	❏	❏	❏

Exercice 3

Choisissez le mot qui convient pour compléter chaque phrase. Faites les accords nécessaires.

1. (revenir - retourner) On a beaucoup aimé la ville de Carcassonne qu'on a visitée en juillet ; on va y
_ _ _ _ _ l'été prochain.

2. (résonner - frissonner) Quand il fait froid ou qu'on ressent une grande émotion, on _ _ _ _ _ _ .

3. (percevoir - revoir) Laïla écoutait la musique et maintenant, elle _ _ _ _ _ son sens.

4. (tunnels - tambours) Les musiciens jouent dans les _ _ _ _ _ , sous les rues de Paris.

5. (frapper - résonner) La musique _ _ _ _ _ dans les couloirs du métro.

Exercice 4

a) Mettez au pluriel les éléments soulignés.

1. Elle passe <u>toute sa journée</u> à chanter.
2. Madame Jolivet sera absente <u>tout le mercredi</u>.
3. Je n'ai pas compris <u>toute l'explication</u>.
4. Il faudrait relire <u>tout ce dossier</u>.

b) Mettez au singulier les éléments soulignés

1. Le directeur sera avec nous pendant <u>tous les mois</u> de cette formation.
2. Ce n'est pas possible, je suis occupée <u>toutes les soirées</u>.
3. C'est quoi, <u>tous ces bruits</u> ?
4. On nous a donné <u>toutes les informations</u>.

Exercice 5

Transformez les phrases en ajoutant *tout, toute, tous* ou *toutes* devant le nom souligné.
Exemple : <u>La nuit</u>, ils jouaient du tambour dans les couloirs du métro.
➔ *Toute la nuit, ils jouaient du tambour dans les couloirs du métro.*

1. Hier soir, j'ai relu <u>le roman de Le Clézio</u>. ➔ _ _ _ _ _ _ _ _ _ _ _ _ _ _ _

2. Désolée, mais Monsieur Cros sera en voyage <u>la semaine prochaine</u>. ➔ _ _ _ _ _ _ _ _ _ _ _ _ _

3. Évidemment, <u>ses enfants</u> étaient là pour fêter ses 80 ans. ➔ _ _ _ _ _ _ _ _ _ _ _ _ _ _ _

4. Quel sale temps ! Il a plu pendant <u>le voyage</u> ! ➔ _ _ _ _ _ _ _ _ _ _ _ _ _ _ _

5. Il n'y a plus de fruits ? Qui a mangé <u>les bananes</u> ? ➔ _ _ _ _ _ _ _ _ _ _ _ _ _ _ _

6. Dans <u>le pays</u>, il y a eu de nombreuses manifestations
pour dire « non » au terrorisme. ➔ _ _ _ _ _ _ _ _ _ _ _ _ _ _ _

7. N'hésitez pas à poser <u>les questions</u> que vous voulez. ➔ _ _ _ _ _ _ _ _ _ _ _ _ _ _ _

8. Je ne sais pas si <u>les gens</u> seront d'accord avec cette décision. ➔ _ _ _ _ _ _ _ _ _ _ _ _ _ _ _

Outils

Se situer dans le passé

Livre de l'élève pages 54 et 55

E x e r c i c e   6

Écoutez ce récit et complétez le tableau.

	présent	passé composé	imparfait	plus-que-parfait
trembler			X	
prononcer				
finir				
être				
se regarder				
pouvoir				
retrouver				
être				
rester				
avoir				
durer				
s'en aller				
être				
enlever				

E x e r c i c e   7

Complétez le tableau.

	passé composé	imparfait	plus-que-parfait
être	tu _ _ _ _ _	on _ _ _ _ _	vous _ _ _ _ _
raconter	on _ _ _ _ _	vous _ _ _ _ _	elles _ _ _ _ _
dire	je _ _ _ _ _	tu _ _ _ _ _	nous _ _ _ _ _
venir	il _ _ _ _ _	elle _ _ _ _ _	ils _ _ _ _ _
pouvoir	nous _ _ _ _ _	vous _ _ _ _ _	elles _ _ _ _ _
avoir	elle _ _ _ _ _	nous _ _ _ _ _	vous _ _ _ _ _
partir	elles _ _ _ _ _	vous _ _ _ _ _	elles _ _ _ _ _
comprendre	on _ _ _ _ _	nous _ _ _ _ _	je _ _ _ _ _
faire	ils _ _ _ _ _	je _ _ _ _ _	vous _ _ _ _ _

Exercice 8

Mettez les verbes entre parenthèses au plus-que-parfait.

1. Je (ne pas revoir) _ _ _ _ _ Jean-Louis depuis longtemps et ça m'a fait très plaisir de le rencontrer samedi.

2. Tu savais bien que nous (partir) _ _ _ _ _ en vacances !

3. Son médecin lui avait dit mais elle (ne pas vouloir) _ _ _ _ _ le croire.

4. Il m'a demandé si je (bien dormir) _ _ _ _ _ et si je (prendre) _ _ _ _ _ mon petit déjeuner.

5. Je pensais que Michel le (prévenir) _ _ _ _ _ mais Philippe ne savait rien.

6. Ils nous ont raconté ce qu'ils (faire) _ _ _ _ _ pendant leurs vacances.

7. Elle se rappelait toutes les personnes qu'elle (connaître) _ _ _ _ _ à l'université.

8. Je n'ai pas vu que je (perdre) _ _ _ _ _ tout mon argent en courant.

Exercice 9

Complétez les phrases avec la forme qui convient.

1. Je comprenais pourquoi Audrey était si heureuse, Jean _ _ _ _ _ en mariage.	**a.** l'a demandée **b.** la demandait **c.** l'avait demandée.
2. On _ _ _ _ _ déjà l'Afrique, on était allés au Sénégal en 2000.	**a.** a connu **b.** connaissait **c.** avait connu
3. Hier, on _ _ _ _ _ dans le petit restaurant que tu nous _ _ _ _ _ .	**a.** déjeunait **b.** a déjeuné **c.** avait déjeuné **d.** recommandais **e.** a recommandé **f.** avais recommandé
4. Les policiers ont interrogé la voisine. Elle _ _ _ _ _ qu'elle _ _ _ _ _ pendant la nuit.	**a.** a répondu **b.** répondait **c.** avait répondu **d.** n'a rien entendu **e.** n'entend rien **f.** n'avait rien entendu
5. Je ne comprends pas pourquoi tu _ _ _ _ _ quand tu avais ces problèmes.	**a.** ne m'avais pas appelé **b.** ne va pas m'appeler **c.** ne m'as pas appelé
6. Je ne savais pas ce qu'il _ _ _ _ _ mais j'ai compris que _ _ _ _ _ grave.	**a.** fait **b.** a fait **c.** avait fait **d.** c'est **e.** ça a été **f.** c'était

Mettez les verbes entre parenthèses à l'imparfait, au passé composé ou au plus-que-parfait.

Dimanche dernier, je (se sentir) _ _ _ _ enfin heureux. Pour moi la vie (être) _ _ _ _ belle de nouveau.

Pourquoi ? Depuis quelques semaines, je (être) _ _ _ _ amoureux d'une jolie fille, discrète, timide,

intelligente et je la (revoir) _ _ _ _ la veille, le samedi.

Elle portait un joli prénom : Ludivine. Je (la connaître) _ _ _ _ début septembre chez mon ami Francis

qui (fêter) _ _ _ _ ses 40 ans. On (discuter) _ _ _ _ de tout et de rien, on (danser) _ _ _ _ et on (rire)

_ _ _ _ aussi parce que Ludivine (être) _ _ _ _ en pleine forme.

Depuis, je (ne pas la revoir) _ _ _ _ ; j'(avoir) _ _ _ _ son numéro de téléphone, elle (avoir) _ _ _ _ le

mien mais personne (ne téléphoner) _ _ _ _ à l'autre. Pourtant, depuis cette fête chez Francis, je

(penser) _ _ _ _ très souvent à Ludivine et aux bons moments qu'on (passer) _ _ _ _ ensemble.

Il y a quelques jours, Francis – eh oui, encore lui ! – (me appeler) _ _ _ _ pour prendre de mes

nouvelles et pour me proposer d'aller au théâtre avec lui et quelques amis le samedi suivant. Je

(accepter) _ _ _ _ et j'(espérer) _ _ _ _ secrètement que Ludivine serait là. J'(être) _ _ _ _ très nerveux

avant cette soirée et finalement, elle (venir) _ _ _ _ ! La soirée (être) _ _ _ _ merveilleuse et cette fois, on

(se promettre) _ _ _ _ de s'appeler et de se revoir.

Imaginez ce qui s'est passé avant. Complétez.
Exemple : Ce soir là, Madame Colas arrivait chez elle très en colère...
> *Au bureau, elle avait eu plein de soucis, elle s'était un peu disputée avec une de ses*
> *collègues et pour rentrer à la maison, elle avait mis deux heures à cause de manifestations*
> *qui bloquaient les routes !*

1. Ce matin, Claudia est arrivée en classe avec une heure de retard et elle semblait très énervée.

_ _

_ _

2. Je suis heureux, j'ai gagné un voyage à Cuba pour deux personnes !

_ _

_ _

3. Pauvre petite, elle pleurait et elle ne pouvait pas dire un mot.

_ _

_ _

Exprimer l'antériorité / la postériorité

Livre de l'élève pages 54 et 55

Exercice 12

Éliminez la proposition qui ne convient pas pour terminer chaque phrase.

1. N'oublie pas de me rendre mes clés
   a) avant de partir.
   b) avant que tu partes.
   c) avant ton départ.

2. J'ai bien ri
   a) avant que j'entende cette histoire drôle.
   b) quand Nicolas a raconté cette histoire drôle.
   c) après avoir entendu cette histoire drôle.

3. Appelle tes parents
   a) avant que tu partes.
   b) avant ton départ.
   c) avant qu'il ne soit trop tard.

4. Je passerai chez toi
   a) après mon cours de danse.
   b) avant que j'aille à mon cours de danse.
   c) avant d'aller à mon cours de danse.

5. Je me suis couchée tôt
   a) après une bonne douche.
   b) après avoir pris une bonne douche.
   c) avant que je prenne une bonne douche.

6. On va prendre un verre tous les deux
   a) après le travail ?
   b) avant que tu arrives ?
   c) avant d'aller au bureau ?

Exercice 13

Complétez les phrases avec *de* ou *que*, si nécessaire.

1. Elle est partie avant _ _ _ _ _ je puisse lui expliquer le problème.

2. On est allés au cinéma après _ _ _ _ _ avoir dîné dans un bon petit restaurant.

3. Après _ _ _ _ _ vous avez lu la lettre, je vais vous donner quelques explications.

4. Avant _ _ _ _ _ l'été, il faudra que tu aies répondu à cette invitation.

5. Il faut passer le contrôle de police avant _ _ _ _ _ embarquer.

6. Avant _ _ _ _ _ parler, réfléchissez bien.

7. Je leur ai expliqué tout ça après _ _ _ _ _ en avoir reparlé avec ma famille.

8. Je rappellerai le docteur Soulier après _ _ _ _ _ mes vacances.

En riant, en chantant ...

Livre de l'élève
pages 56 et 57

Exercice 14

Complétez les phrases avec un gérondif.
Exemple : J'ai appelé Philippe (arriver) → *J'ai appelé Philippe en arrivant.*

1. J'ai croisé Jean-Michel (entrer) _ _ _ _ _ dans l'immeuble.

2. (Voir) _ _ _ _ _ tes clés sur la table, j'ai pensé que tu aurais un problème...

3. Vous fumez (conduire) _ _ _ _ _ ?

4. J'ai tout de suite pensé à toi (entendre) _ _ _ _ _ cette nouvelle à la radio.

5. On a rencontré plein de gens (traverser) _ _ _ _ _ le pays.

6. Elle a perdu une boucle d'oreilles (courir) _ _ _ _ _ .

7. Je me suis cassé un ongle (ouvrir) _ _ _ _ _ ma valise.

8. J'ai fait une erreur (payer) _ _ _ _ _ _ .

Exercice 15

Associez les éléments pour former huit phrases correctes.

1. Elle a du mal à respirer

2. En voyant ta tête,

3. En écoutant ce CD,

4. Tu pourras acheter des fruits

5. En cherchant un livre sur mes étagères,

6. Il écoute toujours de la musique

7. Je suis incapable de travailler

8. En courant répondre au téléphone,

a. on repense toujours à notre voyage.

b. j'ai retrouvé une photo de François.

c. en rentrant ?

d. j'ai glissé et je suis tombé.

e. en travaillant.

f. en nageant.

g. j'ai compris que quelque chose n'allait pas.

h. en écoutant de la musique.

Exercice 16

Écrivez les verbes en gras au gérondif, quand cela est possible.

Quand je suis sorti ce matin, il faisait très mauvais. Il pleuvait ; je marchais **et je pensais** aux belles vacances d'été que j'avais passées au Maroc... Tout à coup, quelqu'un s'est approché de moi : un homme, grand, élégant, portant des petites lunettes. Il a commencé à me parler et **au moment où il a prononcé** mon prénom : « Tu es Aline, non ? », j'ai retrouvé qui il était ! Jean-Louis ! C'était un des Français qu'on avait justement rencontrés à Marrakech.
On a discuté un peu, **on évoquait** les bons moments qu'on avait partagés et on s'est quittés pour regagner chacun notre bureau. **Quand on s'est quittés**, on s'est promis de passer bientôt une soirée ensemble à Paris pour regarder nos photos du Maroc **manger** un bon tajine d'agneau au P'tit Kawa.

phonétique

[f] - [v]
Livre de l'élève
page 57

Exercice 17

Écoutez et cochez la case qui convient.

	1	2	3	4	5	6	7	8
[f]								
[v]								

Exercice 18

Écoutez et dites combien de fois vous entendez le son [v].

1. _ _ _ _ _ fois   **3.** _ _ _ _ _ fois   **5.** _ _ _ _ _ fois

2. _ _ _ _ _ fois   **4.** _ _ _ _ _ fois   **6.** _ _ _ _ _ fois

Exercice 19

Écoutez et dites si vous entendez [f] dans le 2ᵉ ou dans le 3ᵉ mot.

	1	2	3	4	5	6	7	8
2ᵉ mot								
3ᵉ mot								

Vu sur Internet

Livre de l'élève
pages 58 et 59

Exercice 20

Dans ces minidialogues, remplacez l'élément souligné par le pronom qui convient.

Exemple : – Tu vas au supermarché ?
*   – Non, je viens du supermarché.* → *– Non, j'en viens.*

1. – Vous n'allez plus à la salle de sport ?
     – Si, mais maintenant on va <u>à la salle de sport</u> le samedi matin.

     – _

2. – Alors ? Tu as pensé à aller à la banque, aujourd'hui ?
     – Oui ! Je sors <u>de la banque</u> à l'instant !

     – _

3. – Tu vas à la piscine ?
     – Non, j'arrive <u>de la piscine</u>.

     Tu vois bien que j'ai les cheveux mouillés !

     – _

4. – Quand est-ce que vous allez à la campagne ?
     – On va aller <u>à la campagne</u> samedi vers 14 heures car Jeff travaille samedi matin.

     – _

5. – Tu es allé à la manifestation ?
     – Oui, je viens <u>de la manifestation</u> mais il n'y a pas grand monde.

     – _

Exprimer la joie / la colère

Exercice 21

Regardez ces situations et relevez dans le tableau les éléments demandés.

s'inquiète	
réconforte	
exprime la joie	
exprime la colère	

Exercice 22

Écoutez. Cochez les cases pour indiquer si les personnes sont heureuses ou en colère. Écrivez ensuite le motif de leur joie ou de leur colère.

	joie	colère	motif
1			
2			
3			
4			
5			
6			

Exprimer la fréquence

Livre de l'élève
page 59

Exercice 23

Dans ces phrases, rayez les mots entre parenthèses qui ne conviennent pas.

1. – Tu vas souvent au Barrio de la Quinta Luna ?

– Non, très (souvent - rarement - quelquefois), deux ou trois fois dans l'année.

2. – Vos enfants travaillent seuls ou ils demandent de l'aide ?

– En général, ils travaillent seuls mais (parfois - toujours - jamais), je les aide un peu.

3. – Francis a appelé Dominique ?

– Non, tu sais bien que Francis n'appelle (rarement - de temps en temps - jamais) personne.

4. – Il y a encore de la tarte aux pommes ?

– Oh ! Mais je ne comprends pas pourquoi tu as (de temps en temps - parfois - toujours) faim !

5. – Vous connaissez Madame Signoret ?

– Non. J'ai (jamais - souvent - quelquefois) entendu parler d'elle mais je ne l'ai jamais rencontrée.

Différences et discrimination

Livre de l'élève
pages 60 et 61

Exercice 24

Écoutez, puis répondez aux questions.

1. Qui sont les deux personnes ?

❏ un homme et sa femme   ❏ deux amis

❏ un homme et sa sœur   ❏ deux collègues de travail

2. Qu'est-ce que la femme pense de la ville où elle habite ?

3. Où la femme habitait-elle avant de venir dans cette ville ?

4. Que veut-elle faire maintenant ?

5. Qu'est-ce que l'homme répond à la femme ?

6
Projets

E x e r c i c e 1

Livre de l'élève
pages 62 et 63

Utilisez les éléments pour reconstituer le nom de cinq moyens de transport.

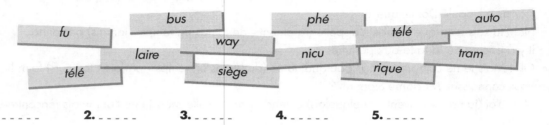

fu   bus   phé   télé   auto
laire   way   nicu   tram
télé   siège   rique

1. _ _ _ _ _   **2.** _ _ _ _ _   **3.** _ _ _ _ _   **4.** _ _ _ _ _   **5.** _ _ _ _ _

E x e r c i c e 2

Quel est le nom correspondant à chaque verbe ?

verbe	créer	construire	développer	respecter	rénover	accueillir
nom	une création	_ _ _ _ _	_ _ _ _ _	_ _ _ _ _	_ _ _ _ _	_ _ _ _ _

E x e r c i c e 3

Choisissez trois des noms que vous avez trouvés dans l'exercice 2 et écrivez une phrase avec chacun.

1. _____

2. _____

3. _____

E x e r c i c e 4

Le texte suivant comporte des différences avec le document enregistré. Écoutez, soulignez les mots qui sont différents et écrivez les mots que vous entendez.

Notre cabinet Van Eekert et Faivre a pour objectif d'installer ici un nouveau centre commercial dynamique qui prendra en compte les dimensions humaines et le respect du développement.
Notre projet comporte d'abord un programme d'agrandissement à l'est du village. Nous construirons un grand monument en haut de la falaise,

_ _ _ _ _ _ _ _ _ _ _

_ _ _ _ _ _ _ _ _ _ _

_ _ _ _ _ _ _ _ _ _ _

_ _ _ _ _ _ _ _ _ _ _

à la place du château que nous allons vendre, pour acquérir un ensemble de sociétés de service (banque, assurance...). À l'est, des logements avec terrasse et vue sur la mer.

Nous installerons la nouvelle ville derrière ce monument. Nous y regrouperons, autour d'une place centrale, des logements, des boutiques (magasins d'alimentation, restaurants, hôtels...) et des bâtiments culturels (cinéma, musée national, théâtre, discothèque...).

Avec l'ensemble des travaux, nous aurons ici une des plus belles constructions de France qui associera la ville et la montagne, le développement écologique et l'individu, la modernité et l'économie.

- - - - - - - - - - - - - - - - -
- - - - - - - - - - - - - - - - -
- - - - - - - - - - - - - - - - -
- - - - - - - - - - - - - - - - -
- - - - - - - - - - - - - - - - -
- - - - - - - - - - - - - - - - -
- - - - - - - - - - - - - - - - -
- - - - - - - - - - - - - - - - -

 Outils

Exprimer le but

**Livre de l'élève
pages 64 et 65**

Exercice 5

Écoutez et retrouvez dans chaque dialogue les expressions qui indiquent le but..

	dialogue n°		dialogue n°
avoir pour objectif de	- - - - -	afin que	- - - - -
prévoir de	- - - - -	de façon à	- - - - -
avoir l'intention de	- - - - -	de façon que	- - - - -
envisager de	- - - - -	pour que	- - - - -

Exercice 6

Écrivez le verbe entre parenthèses à la forme qui convient.

1. Au mois de juillet, on a l'intention de (partir) _ _ _ _ _ en Lituanie pendant deux semaines.

2. Attends, je vais t'écrire ça sur un bout de papier pour que tu (être) _ _ _ _ _ sûr de ne rien oublier.

3. Deux formations différentes sont proposées de façon à (répondre) _ _ _ _ _ au mieux aux besoins des étudiants.

4. Laisser cuire 5 minutes en tournant doucement de façon que les cerises (rester) _ _ _ _ _ entières.

5. Je vais te donner mon numéro de portable afin que tu (pouvoir) _ _ _ _ _ m'appeler pendant mon voyage.

6. Non, je n'ai pas oublié, j'ai prévu de lui en (parler) _ _ _ _ _ lundi prochain.

Les animaux manifestent pour obtenir de meilleures conditions de vie. Imaginez ce qu'ils disent et complétez les phrases.

1. Nous manifestons afin de _ _ _ _ _

_ .

2. Nous allons distribuer des œufs
et du lait de façon à _ _ _ _ _ _ _ _

_ .

3. Nous avons l'intention de _ _ _ _ _

_ .

4. Nous avons rencontré des journalistes pour que _ _ _ _ _ _ _ _ _ _

_ .

5. Nous avons prévu de _ _ _ _ _ _ _

_ .

Le projet de construction du cabinet Van Eekert et Faivre, présenté dans le livre, n'a finalement pas été accepté. À la place d'une nouvelle ville, les autorités régionales ont décidé d'installer, près du village, un parc de loisirs. Vous allez présenter ce projet de parc de loisirs. Imaginez et écrivez votre projet pour votre présentation.

_ _

_ _

_ _

_ _

Exprimer le mécontentement

**Livre de l'élève
pages 66 et 67**

Écoutez et dites si la personne qui répond est **contente** ou **mécontente**.

	1	2	3	4	5	6
contente						
mécontente						

Exercice 10

Écrivez un dialogue pour chacun des dessins.

1. _ _ _ _ _ _ _ _ _ _ _ _ _ _ _ _ _ _ _

_ _ _ _ _ _ _ _ _ _ _ _ _ _ _ _ _ _ _

_ _ _ _ _ _ _ _ _ _ _ _ _ _ _ _ _ _ _

_ _ _ _ _ _ _ _ _ _ _ _ _ _ _ _ _ _ _

2. _ _ _ _ _ _ _ _ _ _ _ _ _ _ _ _ _ _ _

_ _ _ _ _ _ _ _ _ _ _ _ _ _ _ _ _ _ _

_ _ _ _ _ _ _ _ _ _ _ _ _ _ _ _ _ _ _

_ _ _ _ _ _ _ _ _ _ _ _ _ _ _ _ _ _ _

phonétique

[s] (pense) / [ʃ] (penche)

**Livre de l'élève
page 67**

Exercice 11

Écoutez puis cochez la case qui convient.

1. ☐ sac   ☐ chaque   5. ☐ tousser   ☐ toucher
2. ☐ mousse   ☐ mouche   6. ☐ Vincent   ☐ vingt champs
3. ☐ sec   ☐ chèque   7. ☐ saine   ☐ chaîne
4. ☐ russe   ☐ ruche   8. ☐ sert   ☐ cher

Exercice 12

Écoutez les mots et cochez
la case qui convient.

	1	2	3	4	5	6	7	8
[s] pense								
[ʃ] penche								

Exercice 13

Écoutez les phrases et cochez
celles qui contiennent le son [ʃ].

	1	2	3	4	5	6	7	8
[ʃ] penche								

Vu sur Internet

Les doubles pronoms

Livre de l'élève
page 69

Exercice 14

Remplacez les mots soulignés par un pronom.

1. – Tu as acheté ça pour Marie ?

– Oui, son frère m'a demandé d'en apporter un <u>à Marie</u>.

2. – Euh, est-ce qu'on vous attend ?

– Non, non, allez au musée, on va vous retrouver <u>au musée</u> dans une heure.

3. – Tu sais qu'il y a eu un problème hier.

– Non, personne ne m'a parlé <u>du problème</u> !

4. – Fabienne t'a donné la liste ?

– Non. Attends, je vais lui demander <u>la liste</u>.

5. – Tiens, regarde, j'ai acheté le dernier roman de Daniel Pennac.

– Oh, dis, tu pourras me prêter <u>le dernier roman de Daniel Pennac</u> ?

6. – Alors, Olivier était content que tu lui donnes ton vieux vélo.

– Mais, je ne lui ai pas donné mon vélo ! Tu m'avais dit de ne pas lui donner <u>mon vélo</u> !

7. – Votre lettre n'est pas encore arrivée !

– Ah ! Bon ! Alors, je vais vous envoyer une copie <u>de ma lettre</u> par courriel.

Exercice 15

Remplacez les mots soulignés par un pronom.

1. – Mais ils aiment tellement ça, les frites, les enfants !

– Oui, eh bien, il ne faut pas donner <u>de frites</u> <u>à vos enfants</u>, c'est mauvais pour eux !

2. – Vous avez vu le collier qu'elle porte, Madame Dixneuf ?

– Oui, et vous savez qui a offert <u>le collier</u> <u>à Madame Dixneuf</u> ?

3. – Quoi, tu as encore donné 100 euros à Murielle !

– Oui, bon, c'est la dernière fois ! Je ne donnerai plus <u>d'argent</u> <u>à Murielle</u>. Promis !

4. – C'est toi qui as pris le lecteur de disque de Julien ?

– Euh... oui ! Je vais rendre <u>à Julien</u> <u>son lecteur de disque</u> demain !

5. – Chéri, tu sais, ce serait plus facile si Agathe avait une voiture.

– Une voiture ? Oui, eh bien, ce n'est pas moi qui vais acheter <u>une voiture</u> <u>à Agathe</u> ! Si elle veut une voiture, qu'elle travaille !

6. – Et alors, tes collègues ? Qu'est-ce qu'ils ont dit de ton changement de poste ?

– Ah, euh, rien... Je n'ai pas encore parlé <u>de mon changement de poste</u> <u>à mes collègues</u>.

7. – Ah, Jocelyne, je suis en retard ce matin, vous pourriez accompagner les enfants à l'école ?

– Oui, oui, ne vous inquiétez pas, je vais emmener <u>les enfants</u> <u>à l'école</u>.

Récrivez les phrases dans l'ordre qui convient.

1. les / vous / on / a / renvoyés / .

2. ne / pas / vendre / elle / la / me / a / voulu / .

3. ne / pas / en / leur / elle / a / parlé / .

4. occuper / peux / en / tu / te / ?

5. est-ce que / pourriez / présenter / la / me / vous / ?

6. ne / elle / je / la / lui / sais pas si / a / donnée / .

7. en / nous / ils / cent / ont / commandé / .

L'habitat urbain et l'habitat régional

Livre de l'élève pages 70 et 71

A Lisez les annonces et discutez avec votre partenaire pour obtenir les informations qui manquent. Pour la photo manquante, demandez à votre partenaire de vous décrire la maison et prenez quelques notes.

(67) BREUSCHWICKERSHEIM   **Maison**

_ _ _ _ _ km de Strasbourg. Maison traditionnelle de 1975.

_ _ _ _ _ m² : cuisine équipée, séjour/salon, 5 _ _ _ _ _,
2 salles de bains, wc. Chauffage gaz. Sous-sol deux
garages. Vue dégagée. Calme. _ _ _ _ _ arboré.

320 000 €.

03 77 _ _ _ _ _ _ ou 06 71 71 19 69

(85) FROMENTINE   **Maison**

Face à l'île de Noirmoutier. Proche _ _ _ _ _ et _ _ _ _ _, pistes
cyclables. Maison plein _ _ _ _ _, 95 m², rénovée : _ _ _ _ _
avec cheminée, 3 chambres _ _ _ _ _ avec salle de bains,
salle de bains. Terrain 650 m² arboré avec terrasse en
bois 80 m². _ _ _ _ _ _ _ €.

_ _ _ _ _ _ 16 après 20 heures ou 06 82 21 53 06

B Lisez les annonces et discutez avec votre partenaire pour obtenir les informations qui manquent. Pour la photo manquante, demandez à votre partenaire de vous décrire la maison et prenez quelques notes.

(67) BREUSCHWICKERSHEIM **Maison**

15 km de _ _ _ _ _ . Maison traditionnelle de _ _ _ _ _ . 147 m² : cuisine équipée, séjour/salon, _ _ _ _ _ chambres, 2 _ _ _ _ _ , wc. Chauffage gaz. Sous-sol deux garages. Vue dégagée. Calme. Jardin arboré.

_ _ _ _ _ _ _ €.

03 77 95 55 43 ou 06 71 _ _ _ _ _ _

(85) FROMENTINE **Maison**

Face à l'île de _ _ _ _ _ . Proche plage et forêt, pistes _ _ _ _ _ Maison plein sud, _ _ _ _ _ m², rénovée : salon/séjour avec cheminée, 3 _ _ _ _ dont 1 avec salle de bains, salle de bains. Terrain 650 m² arboré avec _ _ _ _ _ en bois 80 m².

245 000 €.

02 51 76 65 16 _ _ _ _ _ _ _ ou 06 _ _ _ _ _ _ 06

Exercice 18

Lisez les définitions et complétez la grille de mots croisés.

HORIZONTALEMENT

I. Démodée. Diplôme. Partie du corps.
II. Et la suite.
III. Mettre en marche.
IV. Passé de « mettre ».
V. Produit de commerce.
VI. Animal.
VII. Négation. Problème difficile. Te.

VIII. Préposition.
IX. Étrange. Penser.
XI. 50 %. Qui fonctionne bien.
XIII. Travail. Personne.
XIV. Passé de « avoir ».
XV. Chemin. Qui est à moi.

VERTICALEMENT

1. Presque jamais. Signal sonore.
3. Devenir moins important.
4. Faites ce qui n'existe pas. Prénom.
6. S'amusent.
7. Changer de logement.

8. Saison.
9. Rencontrer par hasard. Terminé.
11. Ferai devenir plus grand. Là.
13. Différence établie entre des personnes.
15. Art qui utilise beaucoup la pierre. Analyse.

	1	2	3	4	5	6	7	8	9	10	11	12	13	14	15
I	R	I	N	G	A	R	D	E	■				■	O	S
II		■	■	■	■	■					■	■	■	■	
III		■								■					
IV		■					■			■			■		
V										■		■		■	
VI		■						■				■			
VII		■		■				■						■	
VIII		■		■		■		■				■			
IX	■								■						
X	■	■		■		■	■	■		■			■		
XI	■					■		■							
XII	■		■		■		■		■		■		■		
XIII							■								
XIV		■		■	■				■				■		
XV								■							

7 Savoir-vivre

Livre de l'élève pages 76 et 77

Exercice 1

Regardez ces documents et indiquez où on pourrait les trouver.

INTERDIT DE PHOTOGRAPHIER LES OEUVRES

Prière de faire ma chambre

1. - 2. -

VENTS FORTS DIMINUEZ VOTRE VITESSE

MERCI D'ETEINDRE VOS PORTABLES

3. - 4. -

NE PAS FUMER DANS LES BATIMENTS

FRAGILE VEUILLEZ NE PAS TOUCHER

5. - 6. -

Créez un écriteau pour chacun des lieux indiqués.

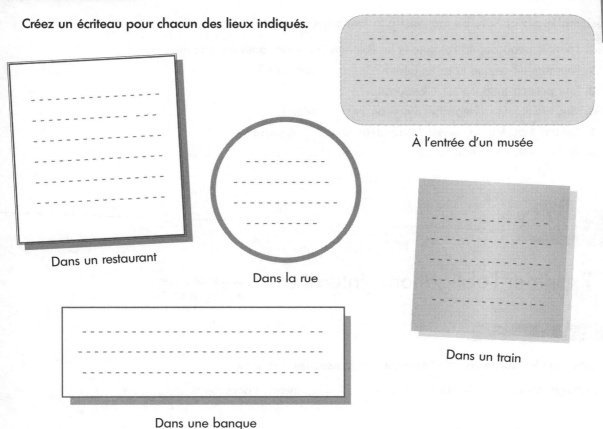

À l'entrée d'un musée

Dans un restaurant

Dans la rue

Dans un train

Dans une banque

Complétez ces phrases avec le pronom qui convient (*me, lui, la, leur...*).

1. – Zut ! Je n'ai pas assez d'argent... Tu peux m'aider ?

   – Oui, combien il _ _ _ _ _ manque ?

2. – Notre fille vit au Canada. Elle est heureuse mais c'est dur pour nous deux.

   – Eh oui. Elle _ _ _ _ _ manque, je comprends.

3. – Je t'ai attendu ce matin. Tu n'as pas pris le bus de 7 h 10 ?

   – Bah non, je voulais le prendre, mais je _ _ _ _ _ ai manqué !

4. – Tu as assez d'essence pour aller jusqu'à Bordeaux ?

   – Non, je vais m'arrêter pour en prendre car il va _ _ _ _ _ en manquer un peu.

5. – Ils sont tristes ces deux enfants, tu ne trouves pas ?

   – Si, mais c'est normal, leurs parents _ _ _ _ _ manquent un peu.

6. – Tu as vu cette scène au début du film, quand Louis est devant la mer ?

   – Non, je _ _ _ _ _ ai manquée. J'étais en retard au cinéma, comme toujours !

Complétez avec le verbe *manquer* à la forme qui convient.

1. J'aimais beaucoup la Pologne et les Polonais, mais mes amis français me _ _ _ _ _ _.

2. Pourquoi est-ce que tu es en retard ? Tu _ _ _ _ _ ton train ?

3. Leur petit chien leur _ _ _ _ _ beaucoup.

4. Vite, vite, il faut se dépêcher, sinon on _ _ _ _ _ l'avion !

5. Quand il quittera la société, le directeur ne _ _ _ _ _ à personne.

6. Reviens vite, mon chéri, tu me _ _ _ _ _ tellement...

Outils

Exprimer l'obligation - interdire

**Livre de l'élève
pages 78 et 79**

Exercice 5

Observez les documents de l'exercice 1 et classez-les ci-dessous.

Exprime l'obligation : documents n° _ _ _ _   Interdit : documents n° _ _ _ _

Exercice 6

Complétez les phrases avec l'un des mots proposés à la forme qui convient.

1. (interdit - prière - veuillez) _ _ _ _ _ de ne pas fumer dans les salles de cours.

2. (merci - veuillez - il faut) _ _ _ _ _ de penser à fermer la porte en sortant.

3. (interdit - vous ne devez pas - prière) _ _ _ _ _ entrer sans autorisation.

4. (défense - ne - il ne faut) _ _ _ _ parlez pas au chauffeur, s'il vous plaît.

5. (défense - prière - merci) _ _ _ _ _ de manger et de boire dans la boutique.

Exercice 7

Écoutez les répliques. Lisez les phrases et corrigez-les quand elles ne correspondent pas aux phrases entendues.

1. Mais on ne doit pas se baigner ici !

2. Défense d'afficher.

3. Ne pas toucher les objets, s'il vous plaît.

4. Ne pas sonner.

5. Vous devez laisser un message.

6. Veuillez éteindre votre téléphone portable.

7. Défense de pénétrer dans ce bâtiment.

8. Moi, je pense qu'il ne faut pas interdire.

Exercice 8 🎧

Écoutez puis complétez les phrases.

1. Elle demande à Pascal de _ _ _ _ _ _ _ _ _ _ .

2. Il interdit à son ami _ _ _ _ _ _ _ _ _ _ .

3. Il veut que les passagers _ _ _ _ _ _ _ _ .

4. Elle demande à Monsieur Rouyer qu'il _ _ _ _ _ _ .

5. Elle exige que _ _ _ _ _ _ _ _ _ _ _ _ _ _ .

6. Il défend à Romain _ _ _ _ _ _ _ _ _ _ _ _ _ .

Exercice 9

Dans chacun des groupes, classez les trois répliques de la plus autoritaire à la plus aimable.

1. La porte !
2. Tu veux bien fermer la porte ?
3. Pardon, pourrais-tu fermer la porte, s'il te plaît ?

_ _ _ _ _	_ _ _ _ _	_ _ _ _ _

1. Ce serait gentil de ne pas marcher sur cette pelouse.
2. Il est interdit de marcher sur cette pelouse.
3. Ne marchez pas sur cette pelouse, s'il vous plaît.

_ _ _ _ _	_ _ _ _ _	_ _ _ _ _

1. Répondez à ces questions.
2. Merci de répondre à ces questions.
3. Vous devez répondre à ces questions.

_ _ _ _ _	_ _ _ _ _	_ _ _ _ _

Exprimer des impressions

**Livre de l'élève
page 80**

Exercice 10 🎧

Écoutez ce dialogue entre Dominique et Jean-Marc puis cochez la réponse qui convient.

1.
❏ Dominique va fêter ses quarante ans.
❏ Jean-Marc va fêter ses quarante ans.
❏ Isabelle va se marier.

2.
❏ Isabelle vit au Kenya.
❏ Joël vit au Kenya.
❏ Le père de Dominique vit au Kenya.

3.
❏ Joël ne viendra pas à cette fête.
❏ Il viendra à cette fête.
❏ On ne sait pas encore s'il viendra ou non.

4.
❏ La mère de Dominique est en voyage.
❏ Elle a été malade.
❏ Elle est un peu fâchée avec Dominique.

5.
❏ Les parents de Dominique s'aiment beaucoup.
❏ Ils ne sont plus ensemble.
❏ Ils vivent à l'étranger.

Écoutez encore le dialogue et complétez les phrases.

1. _ _ _ _ _ _ _ _ _ _ que mon frère Joël soit là pour mes 40 ans.

2. Je ne crois pas qu'il _ _ _ _ _ _ _ _ _ seulement pour ça.

3. Ça serait vraiment dommage qu'il _ _ _ _ _ _ _ _ _ _ .

4. Mais je suis heureuse que maman _ _ _ _ _ _ _ _ _ et _ _ _ _ _ _ _ _ _ _ .

5. Oui, c'est bien mais _ _ _ _ _ _ _ _ _ que tu ne parles pas de ton père.

6. _ _ _ _ _ _ _ _ _ qu'il vienne mais tu sais, comme il ne vit plus avec maman...

7. Bah oui, _ _ _ _ _ _ _ _ ils viennent tous les deux, mais on verra bien !

Exercice 12

A Pour chaque affirmation, donnez votre avis, puis discutez avec votre partenaire pour découvrir son avis.

1. pas du tout d'accord - **2.** plutôt d'accord - **3.** d'accord - **4.** tout à fait d'accord

	1	2	3	4
1. On ne peut pas accepter qu'il y ait des guerres dans le monde.	1	2	3	4
2. _	1	2	3	4
3. C'est très bien qu'il fasse froid en hiver.	1	2	3	4
4. _	1	2	3	4
5. C'est agréable qu'il y ait plein de monde dans les villes.	1	2	3	4
6. _	1	2	3	4
7. Les vins français sont les meilleurs.	1	2	3	4
8. _	1	2	3	4
9. Il n'est pas normal qu'il y ait autant de publicités dans les rues, le métro, etc.	1	2	3	4
10. _	1	2	3	4

B Pour chaque affirmation, donnez votre avis, puis discutez avec votre partenaire pour découvrir son avis.

1. pas du tout d'accord - **2.** plutôt d'accord - **3.** d'accord - **4.** tout à fait d'accord

1. --	1 2 3 4
2. C'est agréable que les magasins puissent être ouverts le dimanche.	1 2 3 4
3. --	1 2 3 4
4. Il n'est pas souhaitable que l'Union européenne accepte encore de nouveaux pays.	1 2 3 4 1 2 3 4
5. --	1 2 3 4
6. Ce n'est pas normal que les sportifs de haut niveau gagnent autant d'argent.	1 2 3 4
7. --	1 2 3 4
8. C'est bizarre qu'on dise que le français est une langue difficile.	1 2 3 4
9. --	1 2 3 4

Emplois du subjonctif

Livre de l'élève
page 81

Exercice 13

a) Lisez et soulignez le verbe qui convient.

1. Je regrette que Pauline ne (vient - vienne) pas avec nous.

2. Qu'est-ce que tu veux que je lui (dis - dise) ?

3. Je suis sûr que Marie-Pierre (sort - sorte) avec Kamel.

4. Il faut que nous (allons - allions) chez le médecin.

5. Je suis étonné que la petite Clara (sait - sache) déjà parler anglais.

6. Je voudrais bien qu'il (répond - réponde) à mon message.

b) Contrôlez avec l'enregistrement.

Lisez et soulignez le verbe qui convient.

1. Vous croyez qu'elle (est - soit) heureuse à Paris ?

2. Il faut que tu (vois - voies) mes photos de Bangkok ; elles sont superbes !

3. Je ne suis pas sûre qu'il (croie - croit) à cette histoire.

4. Je voudrais que tu (as - aies) toujours cette clé sur toi.

5. Je suis contente qu'il (rit - rie) et qu'il s'amuse comme un petit fou !

Écoutez et écrivez la forme du verbe que vous entendez dans la colonne qui convient.

	1. avoir	2. venir	3. pouvoir	4. dire	5. être	6. comprendre	7. être	8. partir
indicatif								
subjonctif	*ait*							

Choisissez parmi les expressions celle(s) qui convient (conviennent) pour commencer la phrase.

1. ❑ Je crois

  ❑ Je ne crois pas   que Luciano puisse arriver avant dimanche.

  ❑ Je sais

2. ❑ Nous regrettons

  ❑ Nous sommes désolés   qu'il y aura beaucoup de neige.

  ❑ Nous espérons

3. ❑ C'est extraordinaire

  ❑ C'est triste   qu'on puisse encore voir ça, non ?

  ❑ C'est vrai

4. ❑ Ce n'est pas sûr

  ❑ C'est certain   que nous arrivions avant Philippe et Françoise.

  ❑ Je doute

5. ❑ Elle souhaite

  ❑ Elle sait très bien   que Pierre est le meilleur footballeur de la région.

  ❑ Elle a très envie

Exercice 17

Complétez avec le verbe entre parenthèses à la forme qui convient.

1. Ses parents ne savent pas encore si Pierre (viendra - vienne - venait) _ _ _ _ _ pour Noël.

2. Il a certainement dit ça pour que Patricia (soit - est - sera) _ _ _ _ _ rassurée.

3. La mère d'Étienne voudrait qu'il (a été - soit - est) _ _ _ _ _ toujours avec elle.

4. Jacques m'a tout expliqué avant que je (parte - suis partie - partirai) _ _ _ _ _ en Bretagne.

5. Tu penses vraiment qu'ils (soient - sont - vont être) _ _ _ _ _ mariés ?

6. J'ai un peu peur qu'il ne m'(écrira - écrive - écris) _ _ _ _ _ pas pendant les vacances.

Exercice 18

Vous êtes le directeur d'une entreprise. Vous devez vous absenter une semaine. Avant de partir, vous laissez une note à votre secrétaire. Suivez les instructions pour écrire votre note de service.

Pendant votre absence, votre secrétaire devra contacter plusieurs personnes (directeurs, clients, banquier...) et s'occuper de :
- la commande de votre billet pour votre voyage en Islande ;
- l'organisation d'une petite réception à votre retour pour célébrer les bons résultats de l'entreprise (inviter les cadres de l'entreprise et leur époux/épouse) ;
- la signature du contrat avec la société Janac (prévenir Mme Dufrick) ;
- la visite de Mr Nogueira (réserver l'hôtel, prévoir une voiture avec chauffeur, prendre des rendez-vous avec Mrs/Mmes Lévy, Faullereau, et Ollier) ;
- la plante verte qui se trouve dans votre bureau (l'arroser avec de l'eau minérale uniquement).

Dans votre message, vous utiliserez des expressions comme :

– *je voudrais que...*

– *il ne faut pas que...*

– *il faudra...*

– *il n'est pas nécessaire que...*

– *j'aimerais beaucoup que...*

– *il est très important que...*

– *pour que...*

– *j'espère que...*

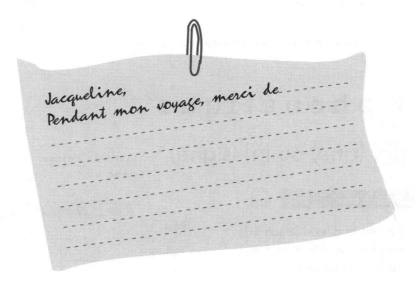

Jacqueline,
Pendant mon voyage, merci de

Vu sur Internet

Le, en, y

Livre de l'élève
page 83

Exercice 19

Trouvez une réplique aux phrases proposées en utilisant *le, en* ou *y* et le verbe indiqué.

Exemple : ➔ *– Tu as donné les clés de la maison à Lionel ? (penser à donner les clés)*
– J'y ai pensé mais c'était trop tard ; il était parti...

1. Et si on allait danser tous ensemble après le dîner ? (avoir envie de danser)

- -

2. Vous avez passé de bonnes vacances dans le sud de la France ? (profiter des vacances)

- -

3. Et les amours de Charles, comment ça va ? (parler des amours de Charles)

- -

4. Philippine a réussi son concours et elle va travailler chez Thomson en septembre. (savoir que Philippine a réussi)

- -

5. Tu as vu l'exposition sur les Impressionnistes au Grand Palais ? (s'intéresser à l'impressionnisme)

- -

6. Si vous arrêtez les cours maintenant, vous ne pourrez pas reprendre en cours d'année. (être conscient de ce problème)

- -

7. Je ne suis pas sûre que tu réussisses à trouver un emploi en Amérique. (vouloir trouver un emploi en Amérique)

- -

8. Elle devrait quitter Jean-Patrick, ce n'est pas un homme pour elle. (être amoureuse de Jean-Patrick)

- -

9. C'est vrai, ils vont partir faire le tour du monde ? (savoir qu'ils vont partir)

- -

10. On veut tous aller au concert de Mickey 3D mais on n'a pas les billets... (s'occuper d'acheter les billets)

- -

phonétique

[n] (ciné) ou [ɲ] (si**gn**é)

Livre de l'élève
page 83

Exercice 20

Écoutez et dites si le son [ɲ] est placé au début, au milieu ou à la fin du mot.

	1	2	3	4	5	6	7	8
début								
milieu								
fin								

Exercice 21

Écoutez et dites si vous entendez le son [ɲ] dans le 1er, le 2e ou le 3e mot.

	1	2	3	4	5	6	7	8
1er mot								
2e mot								
3e mot								

Exercice 22

Écoutez et complétez.

1. À quelle heure on di_ _ _ _ ?

2. Il n'est pas di_ _ _ _ de notre estime.

3. Elle est très mi_ _ _ _ _o_ _ _ _ e !

4. Il veut toujours qu'on le plai_ _ _ _ _.

5. C'est un pays de grandes plai_ _ _ _ _.

6. Je n'ai plus d'oi_ _ _ _on pour cuisi_ _ _ _er.

7. Le pauvre, il est _ _ _ _ain et bor_ _ _ _e !

8. Mon frère aî_ _ _ _é est vi_ _ _ _eron.

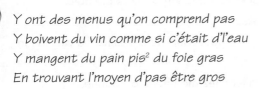

Bonnes manières et savoir-vivre

**Livre de l'élève
pages 84 et 85**

Exercice 23

Dans sa chanson *Les maudits Français*, Lynda Lemay, chanteuse québécoise, critique les Français et leurs habitudes culturelles. Lisez le texte de la chanson, puis imitez la chanson en décrivant les gens de votre pays. Respectez le rythme et les rimes (*mots préc**i**s - des b**i**s* ou *qu'on comprend p**a**s - du foie gr**a**s*).

*Y parlent avec des mots précis
Puis y prononcent toutes leurs syllabes
À tout bout d'champ, y s'donnent des bis[1]
Y passent leurs grandes journées à table*

*Y ont des menus qu'on comprend pas
Y boivent du vin comme si c'était d'l'eau
Y mangent du pain pis[2] du foie gras
En trouvant l'moyen d'pas être gros*

1. des bises - 2. et puis

*[...]
Ils ont des tasses minuscules
Et des immenses cendriers
Y font du vrai café d'adulte
Ils avalent ça en deux gorgées*

*On trouve leurs gros bergers allemands
Et leurs petits caniches chéris
Sur les planchers des restaurants
Des épiceries, des pharmacies*

[...]

Lynda Lemay, *Du coq à l'âme*, 2000, WEA.

71

8
Sans voiture

Livre de l'élève
pages 86 et 87

Exercice 1

Observez ces objets et écrivez une phrase pour expliquer à quoi ils servent.

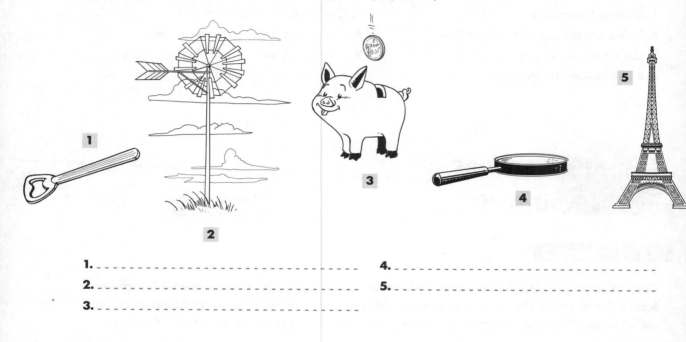

1. _   4. _

2. _   5. _

3. _

Exercice 2

Complétez les phrases avec les verbes suivants, en les écrivant à la forme qui convient.

arriver - organiser - permettre - prévoir - profiter - s'occuper

1. Nous allons _ _ _ _ _ une journée d'information sur l'emploi et la formation, le 17 septembre.

2. C'est Madame Desjoyaux qui _ _ _ _ _ des contrats de travail.

3. Pour le week-end prochain, le ministère des Transports _ _ _ _ _ beaucoup de difficultés de circulation sur toutes les routes.

4. Comme on ne travaille pas lundi, on va en _ _ _ _ _ pour aller chez mon frère, à Roanne.

5. Est-ce que tu peux m'aider, je ne _ _ _ _ _ pas à ouvrir la fenêtre.

6. Si on commence la réunion plus tôt, on finira avant 19 heures et cela me _ _ _ _ _ d'aller à la poste avant qu'elle ferme.

Outils

Reprocher - se justifier

**Livre de l'élève
pages 88 et 89**

Exercice 3

Complétez les minidialogues avec ces phrases.

Ça ne sert à rien ! - C'est toujours pareil ! - Ce serait encore mieux !

1. – Et pour le parking de l'hôtel, il faut payer aussi ?

– Oui, monsieur, 50 €, c'est seulement le prix de la chambre.

– Allez, il faut encore payer ! _ .

2. – Oh là là ! C'est vraiment difficile de travailler avec Jean-Michel !

– Peut-être que, si tu prenais le temps de discuter un peu plus avec lui…

– _ . On n'a pas les mêmes idées !

3. – Et il y aurait un train ou un bus entre la gare Montparnasse et l'aéroport ?

– Non, mais, attends, pas besoin d'aller à Montparnasse ! Il y a un train direct jusqu'à l'aéroport.

– _ .

Exercice 4

Les phrases de deux dialogues ont été mélangées. Retrouvez les phrases de chaque situation.

1. Attends, laisse-moi voir… Mais ! Ils ont tous été effacés ! C'est toi qui as fait ça ?

2. Je sais, je suis en retard, je suis désolé !

3. Je voulais travailler sur le projet Peltier, mais j'ai eu un petit problème avec l'ordinateur.

4. L'ordinateur ! Non, vraiment, tu exagères ! Et pourquoi tu as touché à ces fichiers ?

5. Mais, non, ils ne vont pas attendre ! Si on n'est pas à l'heure, on peut retourner chez nous, tu sais !

6. Non, je n'ai rien effacé, c'est l'ordinateur qui…

7. Oh, mais on va y arriver, j'ai juste 20 minutes de retard !

8. Oui, bah, ils attendront.

9. Oui, mais, avec toi c'est toujours pareil ! Achète une autre montre !

10. Oui, ça marche mal et je n'arrive plus à ouvrir les fichiers Peltier.

11. Tu es désolé ? Il ne faut pas te gêner ! Tu sais qu'on a rendez-vous à 10 h 30.

12. Un petit problème ?

– Mais, dis donc, tu as vu l'heure ?

_ _

_ _

_ _

_ _

_ _

– Qu'est-ce que tu fais ?

_ _

_ _

_ _

_ _

_ _

Écoutez et complétez le tableau.

	Où se passe la scène ?	Qui sont les personnes ?	Quel est le sujet de leur discussion ?
dialogue 1	- - - - - - - - - - - - -	- - - - - - - - - - - - -	- - - - - - - - - - - - - -
dialogue 2	- - - - - - - - - - - - -	- - - - - - - - - - - - -	- - - - - - - - - - - - - -
dialogue 3	- - - - - - - - - - - - -	- - - - - - - - - - - - -	- - - - - - - - - - - - - -

Dont

Livre de l'élève
pages 88 et 89

Exercice 6

Faites une seule phrase en utilisant *dont*.
Exemple : Tu te rappelles le client ? Nous avons parlé de ce client lundi.
➔ *Tu te rappelles le client **dont** nous avons parlé lundi ?*

1. Brigitte a quitté l'association sportive. Elle faisait partie de cette association sportive.
2. Où je vais pouvoir trouver toutes les choses ? J'ai besoin de toutes ces choses.
3. La maison coûte 250 000 €. Vous avez vu les photos de cette maison.
4. La fille n'est pas française. Il est amoureux de cette fille.
5. Où en est cette affaire ? Vous vous occupez de cette affaire actuellement.
6. Je vais vous donner l'adresse d'un restaurant. Vous ne serez pas déçus de ce restaurant.
7. Vous me parlez d'un problème. J'ignore absolument tout de ce problème.
8. C'est une grave erreur. Vous connaîtrez bientôt les conséquences de cette erreur.

Exercice 7

Supprimez *dont* et retrouvez les deux phrases de base.
*Exemple : Comment s'appelle le livre **dont** tu as besoin ?*
➔ *Comment s'appelle le livre ? Tu as besoin de ce livre.*

1. Que devient le projet dont vous nous avez parlé ?
2. L'appartement dont vous êtes locataire va être rénové.
3. Le service dont je m'occupe compte quinze employés.
4. Nous allons organiser un concert dont les bénéfices seront versés à la Croix Rouge.
5. Camille est une collaboratrice dont nous sommes plutôt satisfaits.
6. Oui, euh, c'est un petit problème dont je ne me souvenais pas du tout.

Complétez les phrases avec *qui, que, où, dont*.

1. Quel est le nom de la personne _ _ _ _ _ tu vas rencontrer ?

2. Ce ne sont pas du tout les conditions _ _ _ _ _ nous avions parlé.

3. Tu te souviens du nom de la ville _ _ _ _ _ on s'est arrêtés, hier ?

4. C'est exactement le genre de travail _ _ _ _ _ j'ai toujours rêvé.

5. Les documents _ _ _ _ _ tu avais commandés à Genève sont arrivés.

6. L'hôtel Ibis, c'est l'hôtel _ _ _ _ _ se trouve place Molière, non ?

7. Il ne faut laisser entrer que les personnes _ _ _ _ _ les noms sont inscrits sur cette liste.

8. Il y a une Madame Barnoud _ _ _ _ _ a appelé tout à l'heure.

La forme passive

**Livre de l'élève
pages 90 et 91**

Lisez et cochez la case qui convient.

	forme active	forme passive
1. Manon est arrivée hier soir.	☐	☐
2. Ton cadeau nous a fait très plaisir.	☐	☐
3. Les documents vous seront envoyés aujourd'hui.	☐	☐
4. Elles ont toutes été vendues.	☐	☐
5. Il s'est trompé de jour.	☐	☐
6. Pour l'oral, j'ai été convoqué à 8 heures.	☐	☐
7. Le dossier doit être rapporté avant le 18 avril.	☐	☐
8. La réunion s'est-elle bien passée ?	☐	☐

Écoutez et cochez la case qui convient.

	1	2	3	4	5	6	7	8
phrase à la forme active								
phrase à la forme passive								

Transformez les phrases comme dans l'exemple.

*Exemple : La mairie **réalisera** une enquête au mois de mai.*

→ *Une enquête **sera** réalisée par la mairie au mois de mai.*

1. Le président de l'université va nous présenter un projet de collaboration.

2. La société SIGS assure la sécurité.

3. Tous les deux ans, un organisme officiel doit effectuer un contrôle technique.

4. La mairie pourrait refuser la construction d'un nouveau supermarché.

5. Un incident technique a retardé le TGV de 14 h 30.

6. En 1965, le gouvernement avait interdit la diffusion de ce film.

7. Un membre de notre personnel doit accompagner chaque visiteur.

8. Le tribunal les a condamnés à six mois de prison.

Transformez les phrases comme dans l'exemple (sans reprendre le sujet).

Exemple : La secrétaire a envoyé la lettre hier.

→ *La lettre a été envoyée hier.*

1. Est-ce que tu as payé la facture d'électricité ?

2. Les journaux n'ont pas encore annoncé la nouvelle.

3. La ville transformera l'église Sainte Thérèse en centre culturel.

4. La société HBN avait fermé l'usine de Toulouse en 1995.

5. Un Britannique a découvert un tableau de Claude Monet dans un grenier.

6. Je vais très bien les accueillir.

7. Le service de l'environnement nettoie la plage tous les matins.

8. Gilbert Trigano a créé le Club Med en 1950.

Transformez les phrases comme dans l'exemple (sans reprendre le sujet *on*).

Exemple : On contrôle les machines tous les matins.

→ *Les machines sont contrôlées tous les matins.*

1. On vous livrera le matériel mercredi matin.

2. En raison du Tour de France, on va fermer la nationale 149.

3. On a reporté la réunion au 25 avril.

4. On vous contactera par téléphone.

5. Malgré ma demande, on ne m'a pas remboursé mes frais de taxi.

6. Pour toute modification du système, on doit informer le service technique.

7. On vous communiquera tous les résultats la semaine prochaine.

8. On a refait les peintures l'année dernière.

phonétique

[s] – [z] – [ʃ] – [ʒ]

Livre de l'élève
page 91

Exercice 14

Écoutez et cochez la case qui convient.

[s]	[z]	[ʃ]	[ʒ]
1. ☐ deux cents	☐ deux ans	☐ deux chants	☐ deux Jean
2. ☐ baisse	☐ baise	☐ bêche	☐ beige
3. ☐ sac	☐ ZAC	☐ chaque	☐ Jacques
4. ☐ déçoit	☐ des oies	☐ des choix	☐ des joies
5. ☐ il la laisse	☐ il la lèse	☐ il la lèche	☐ il l'allège
6. ☐ la Bresse	☐ la braise	☐ la brèche	☐ l'abrège

Exercice 15

Écoutez et cochez la case qui convient.

1. ☐ Ils centrent. ☐ Ils entrent.
2. ☐ Un beau cageot. ☐ Un beau cachot.
3. ☐ On sent. ☐ Onze ans.
4. ☐ Elles sont douces. ☐ Elles sont douze.
5. ☐ Une bonne cassette. ☐ Une bonne cachette.
6. ☐ Arrête de tousser. ☐ Arrête de toucher.
7. ☐ Une bise. ☐ Une biche.

Exercice 16

Écoutez et cochez la case qui convient.

1. ☐ Quelle soie ! ☐ Quel choix ! ☐ Quelle joie !
2. ☐ La basse est parfaite. ☐ La base est parfaite. ☐ La bâche est parfaite.
3. ☐ Une vieille Russe. ☐ Une vieille ruse. ☐ Une vieille ruche.
4. ☐ C'est en mars. ☐ C'est en marche. ☐ C'est en marge.

Exercice 17

Écoutez et cochez la case qui correspond au son que vous entendez dans la phrase.

	1	2	3	4	5	6	7	8	9
[s] saine									
[z] zen									
[ʃ] chaîne									
[ʒ] gêne									

Vu sur Internet

Exprimer la cause et la conséquence

Livre de l'élève
page 93

Exercice 18

Rayez le mot qui ne convient pas.

1. Il y a beaucoup de pollution (donc ; parce que) les gouvernements s'intéressent plus à l'économie qu'à l'écologie.

2. Il y a de plus en plus de personnes qui voyagent, (par conséquent ; puisqu') il faut de plus en plus de moyens de transport.

3. Les étudiants peuvent facilement se déplacer en Europe (à cause des ; grâce aux) programmes de l'Union européenne.

4. Le directeur a raté son avion à Berlin (alors ; comme) notre réunion a été annulée.

5. Elle ne gagne pas beaucoup d'argent, (en conséquence ; parce qu') elle n'a pas trouvé un bon travail.

Exercice 19

Échangez vos informations avec celles de votre partenaire et, à deux, retrouvez les amies et les cadeaux.

A Quatre garçons (Quentin, Romain, Stéphane, Théo) vont chacun offrir un cadeau (un parfum, un disque, des fleurs, une bague) à leur amie respective (Anne, Béatrice, Caroline, Dorine). Lisez les phrases pour retrouver qui est l'amie de chaque garçon et quel cadeau chacune va recevoir. Écrivez dans le tableau le nom du cadeau.

1. Anne aime le parfum mais n'aime pas les fleurs. Elle ne connaît pas Romain.

2. _____

3. Romain adore les bons parfums. Il n'est pas l'ami de Dorine.

4. _____

5. Stéphane connaît l'amie de Romain et il offre souvent des disques de chansons françaises.

6. _____

7. L'amie de Quentin ne reçoit pas de fleurs.

	Anne	Béatrice	Caroline	Dorine
Quentin				
Romain				
Stéphane				
Théo				

B   Quatre garçons (Quentin, Romain, Stéphane, Théo) vont chacun offrir un cadeau (un parfum, un disque, des fleurs, une bague) à leur amie respective (Anne, Béatrice, Caroline, Dorine). Lisez les phrases pour retrouver qui est l'amie de chaque garçon et quel cadeau chacune va recevoir. Écrivez dans le tableau le nom du cadeau.

1. _

2. Quentin ne connaît pas Anne ni Béatrice.

3. _

4. Caroline n'aime pas qu'on lui offre du parfum. Elle ne connaît pas Théo.

5. _

6. L'ami de Dorine ne lui offre jamais de bague.

7. _

	Anne	Béatrice	Caroline	Dorine
Quentin				
Romain				
Stéphane				
Théo				

E x e r c i c e   2 0

Écrivez une phrase avec chacun de ces mots.

1. à cause de _

2. grâce à _

3. puisque _

4. par conséquent _

E x e r c i c e   2 1

Écrivez une phrase avec chacun de ces verbes.

1. provoquer _

2. être responsable de _

3. causer _

Exercice 22

Lisez le document et cochez les réponses qui conviennent.

Entretien avec

Valérie LANDAIS

Présidente de l'Association des cyclistes du Sud-Ouest

L'Association des cyclistes du Sud-Ouest a pour objectif de développer l'utilisation des deux roues. Pour en savoir plus sur cette association, nous avons rencontré sa présidente, Valérie Landais, cycliste amateur.

1. Comment l'Association des cyclistes du Sud-Ouest a-t-elle été créée ?

2. Comment en êtes-vous devenue la présidente ?

3. Quel est le rôle de l'association ?

1. L'Association des cyclistes du Sud-Ouest, l'ACSO, a été créée en 1981 par Stéphane Gallard. C'était un jeune étudiant en biologie et un militant écologiste qui comprenait mal pourquoi on donnait autant de place aux voitures dans les villes.

2. Je suis devenue membre de l'ACSO en 1998, grâce à une amie qui était déjà membre. Petit à petit, j'ai participé de plus en plus aux actions de l'ACSO, puis j'ai accepté des responsabilités dans l'association, j'en suis devenue la secrétaire en 2001, et enfin la présidente deux ans plus tard.

3. L'ACSO a d'abord pour objectif de développer l'utilisation du vélo en ville. Elle forme donc un groupe de pression auprès des autorités de la ville pour que des équipements plus importants soient proposés aux usagers du vélo et elle apporte des informations aux habitants pour les inviter à utiliser leur vélo plus souvent. Pour atteindre ses objectifs, l'ACSO organise régulièrement des réunions et des événements autour du vélo. C'est grâce à l'ACSO, par exemple, que 70 kilomètres de pistes cyclables ont été construits dans le département.

1. Qui a créé l'ACSO ?
- ❑ Valérie Landais
- ❑ Stéphane Gallard
- ❑ les autorités de la ville
- ❑ on ne sait pas

2. Qui a proposé à Valérie Landais de devenir membre de l'ACSO ?
- ❑ Stéphane Gallard
- ❑ une de ses amies
- ❑ la secrétaire de l'ACSO

3. Depuis quand Valérie Landais est-elle la présidente de l'ACSO ?
- ❑ 1981
- ❑ 1998
- ❑ 2001
- ❑ 2003

4. Quels sont les objectifs de l'ACSO ? (plusieurs réponses)
- ❑ fabriquer des vélos
- ❑ donner des informations sur l'utilisation du vélo
- ❑ créer des associations
- ❑ discuter avec les autorités de la ville pour obtenir de nouvelles installations
- ❑ aider des cyclistes à participer au Tour de France
- ❑ rendre la circulation des voitures plus facile

9
Un monde solidaire

Exercice 1 **Livre de l'élève**
pages 96 et 97

Écoutez et associez chaque information à son affiche.

A

B

C

D

information	1	2	3	4
affiche				

Complétez chaque texte avec les mots qui conviennent.

1. *malades - l'aide - familles - l'école - pays - enfants*

Fondée en 1988 par le Professeur Alain Deloche, la vocation première de La Chaîne de l'Espoir est _ _ _ _ _
chirurgicale aux enfants _ _ _ _ _ ou blessés qui ne peuvent être soignés dans leur _ _ _ _ _ d'origine.
Ces _ _ _ _ _ sont pris en charge bénévolement par des spécialistes de la chirurgie pédiatrique et
accueillis par des _ _ _ _ _ d'accueil pendant leur période de convalescence.
Enfin, parce qu'un enfant qui ne va pas à _ _ _ _ _ reste un enfant « handicapé », La Chaîne de l'Espoir
poursuit un programme d'aide scolaire en Thaïlande.

2. *maladies - chercheurs - combattre - recherche - hommes - action*

Les _ _ _ _ _ de l'Institut Pasteur travaillent pour comprendre les mécanismes et le fonctionnement du vivant
afin de mieux prévenir et _ _ _ _ _ les grandes _ _ _ _ _ : sida, cancers, mais aussi grippe, allergies...
Depuis sa création, trois points forts donnent à l'Institut Pasteur un style particulier : une mission de _ _ _ _ _
biomédicale au service de la santé des _ _ _ _ _ avec la mise au point de vaccins, de tests de diagnostic,
une ouverture sur le monde et le soutien du public à son _ _ _ _ _ _ .

Complétez les tableaux suivants.

verbes	noms
rechercher	_ _ _ _ _
_ _ _ _ _	la prévention
_ _ _ _ _	le respect
agir	_ _ _ _ _
lutter	_ _ _ _ _
_ _ _ _ _	le combat

verbes	noms
donner	_ _ _ _ _
_ _ _ _ _	la création
protéger	_ _ _ _ _
fonder	_ _ _ _ _
aider	_ _ _ _ _
_ _ _ _ _	le soutien

Dans les tableaux de l'exercice 3, trouvez des synonymes (verbes équivalents).

lutter = _ _ _ _ _   aider = _ _ _ _ _   fonder = _ _ _ _ _

E x e r c i c e   5

Complétez les phrases avec des mots de l'exercice 3.

1. Il faut soutenir la _ _ _ _ _ pour _ _ _ _ _ contre les maladies graves.

2. Dans les écoles, il y a souvent des actions de _ _ _ _ _ contre les maladies graves.

3. On va _ _ _ _ _ une association pour _ _ _ _ _ les gens sans travail.

4. Pour faire avancer la recherche, je fais chaque année des _ _ _ _ _ à plusieurs associations.

Outils

Le conditionnel

Livre de l'élève
pages 98 et 99

E x e r c i c e   6

Mettez les verbes entre parenthèses au conditionnel.

1. Est-ce que vous (pouvoir) _ _ _ _ _ faire un peu moins de bruit, s'il vous plaît ?

2. Tu (aimer) _ _ _ _ _ bien voyager plus souvent ?

3. Ce (être) _ _ _ _ _ certainement intéressant de visiter ce musée, non ?

4. Je ne (vouloir) _ _ _ _ _ pas quitter ma ville, je suis trop bien ici.

5. Il y (avoir) _ _ _ _ _ déjà beaucoup de monde dans le stade de France.

6. Nous ne savons rien, sinon, nous vous le (dire) _ _ _ _ _ _ .

7. Tu ne (faire) _ _ _ _ _ pas un petit tour de bateau avec moi ?

8. Ça me (plaire) _ _ _ _ _ beaucoup de vivre dans un pays chaud.

E x e r c i c e   7

Écoutez et complétez le tableau.

exprime...	1	2	3	4	5	6	7	8
un souhait								
un conseil								
une demande polie								
une information incertaine								
une proposition								

C'est le 1er avril. Vous lisez ces nouvelles surprenantes dans le journal de votre région et vous écrivez un message à un ami pour lui raconter ce que vous venez d'apprendre. Complétez.

1. À Paris, la tour Eiffel va être déplacée dans le quartier de la Défense pour pouvoir attirer plus de visiteurs. C'est une volonté du maire de Paris de réunir les styles classiques et modernes.

2. En raison de graves difficultés financières, le parc de loisirs Disneyland fermera dans un an. L'ensemble des bâtiments va être transformé en appartements. Les travaux permettront de créer près de 300 appartements, du studio au cinq pièces.

3. Pendant une série de travaux du zoo de Vincennes, certains animaux vont vivre au château de Versailles. Les bassins du château vont accueillir les crocodiles et les hippopotames ; les girafes et les zèbres pourront se promener dans le parc.

De : _ _ _ _ _ _ _ _ _ _ _ _ _ _ _

À : _ _ _ _ _ _ _ _ _ _ _ _ _ _ _

Date : _ _ _ _ _ _ _ _ _ _ _ _ _ _ _

Objet : Bizarre, bizarre...

Salut !

Je viens de lire *La Nouvelle République* et j'y ai trouvé des nouvelles assez étonnantes. Lis ça...

La tour Eiffel changerait de place parce que le maire._ _ _ _ _ _ _ _ _ _ _ _ _ _ _ _ à la Défense_ _ _ _ _ _

_ _

_ _

_ _

Si tu veux, si on chantait...

Livre de l'élève
pages 100 et 101

Complétez les terminaisons des verbes.

1. Si tu veux, on ir_ _ _ _ _ ensemble voir le bébé de Catherine, d'accord ?

2. Ah ! Chérie, je ne sais pas ce que je fer_ _ _ _ _ si je ne te connaissais pas !

3. Imaginez que vous puissiez choisir toutes les professions, qu'est-ce que vous fer_ _ _ _ _ ?

4. Tu viendr_ _ _ _ _ si tu es invitée ?

5. S'ils pouvaient venir à notre réunion, ce ser_ _ _ _ _ quand même beaucoup mieux.

6. Au cas où il fer_ _ _ _ _ trop froid, on dormir_ _ _ _ _ dans un petit chalet.

7. S'il peut, mon frère viendr_ _ _ _ _ à ma fête d'anniversaire.

8. Tu m'en parler_ _ _ _ _ si tu savais quelque chose, non ?

Exercice 10

Associez les éléments pour former des phrases correctes.

1. Au cas où tu déciderais de venir,

2. Si vous êtes fatigué,

3. Si je pouvais,

4. Si tu n'as pas envie de visiter le musée,

5. Venez un peu plus tôt,

6. En cas de pluie,

A. le spectacle sera reporté au samedi 18.

B. appelle-moi sur mon portable, je te donnerai l'adresse.

C. tu peux rester à l'hôtel.

D. on sera sûrs d'arriver à l'heure.

E. demandez au guide de raccourcir la visite.

F. je dirais bien au directeur ce que je pense…

1	2	3	4	5	6

Exercice 11

Imaginez une suite à chacune de ces phrases.

1. Si je pouvais, _____ .

2. Si tu viens à Paris, _____ .

3. Appelle-moi si _____ .

4. Imagine que _____ , tu iras où ?

5. Au cas où _____ , parles-en à Marie.

6. On ira en Bretagne cet été si _____ .

Exercice 12

Oralement, faites des phrases pour essayer de résoudre ces deux énigmes.

1. Trois femmes ont chacune deux filles. Elles se rendent ensemble au restaurant pour manger. Il n'y a que sept chaises dans le restaurant. Chacune s'assoit sur une chaise. Comment est-ce possible ?

2. Un coquillage est accroché à la coque d'un bateau, à 1 mètre au-dessus du niveau de l'eau. L'eau monte de 30 cm par heure. Combien de temps faudra-t-il pour que l'eau touche le coquillage ?

Exercice 13

Écrivez un minidialogue avec chacune de ces expressions.

même si   *sauf si*

Vu sur Internet

Exprimer la tristesse / la déception

Livre de l'élève
pages 102 et 103

Exercice 14

Écoutez et dites si les personnes expriment la joie ou la tristesse. Cochez la case qui convient dans le tableau.

	1	2	3	4	5	6
joie						
tristesse						

Exercice 15

Écoutez encore une fois les répliques de l'activité 14. Relevez les différentes façons d'exprimer la tristesse et faites une phrase avec chacun de ces éléments.

Exercice 16

a) Lisez ces minidialogues et soulignez les éléments qui expriment la tristesse et la déception.

1. – Salut Laurie !

– Salut.

– Bah, dis donc, ça n'a pas l'air d'aller, toi... Qu'est-ce qui se passe ?

– Oh ! rien, je viens juste de recevoir les résultats de mes examens et je les ai ratés d'un point. Je suis très déçue, c'est tout.

– Un seul point ! Oh... je comprends. C'est vraiment dommage, ma pauvre Laurie. Mais bon, tu recommenceras l'année prochaine et tu réussiras.

– Je ne crois pas que je recommence. Tu sais, j'ai travaillé dur toute l'année, je croyais avoir réussi et échouer comme ça... J'ai du mal à le supporter et je crois que je vais faire autre chose.

2. – Quelle déception ! J'aurais tellement aimé que tous mes frères et sœurs soient là pour mon anniversaire...

– Je comprends mais certains habitent très loin, tu le sais bien.

– Je le sais mais ça me rend malheureuse, parfois.

– Et puis, tu avais imaginé que ta sœur de Suisse te ferait la surprise de venir, non ?

– Oui, c'est vrai. Je croyais qu'elle viendrait et puis... personne. Je ne m'attendais pas à ça. On a toujours fêté tous nos anniversaires ensemble.

b) Relevez dans le tableau ci-dessous les éléments que vous avez soulignés.

tristesse	déception
- -	- -
- -	- -
- -	- -

Exercice 17

Écoutez et cochez la réplique qui pourrait convenir à chacune des phrases entendues.

1. ❏ C'est une excellente nouvelle !
   ❏ Oh ! Quel dommage !
   ❏ J'ai du mal à supporter ça.
2. ❏ Ce n'est pas grave.
   ❏ On ne s'attendait pas à ça.
   ❏ On est ravis pour elle.

3. ❏ Ça me rend très triste de voir la misère.
   ❏ Je me réjouis de visiter ces pays.
   ❏ Je supporte de voir la misère.
4. ❏ Dommage. Si vous aviez su…
   ❏ On ne peut pas accepter ça !
   ❏ Ça me réjouit d'entendre ça.

phonétique

[k] (car) / [g] (gare)

Livre de l'élève
page 103

Exercice 18

Écoutez et dites si le son [k] est au début, au milieu ou à la fin du mot.

	1	2	3	4	5	6	7	8
début								
milieu								
fin								

Exercice 19

Écoutez et dites si le son [g] est dans le 2ᵉ ou le 3ᵉ mot.

	1	2	3	4	5	6	7	8
2ᵉ mot								
3ᵉ mot								

Exercice 20

Écoutez et dites si vous entendez [k] ou [g].

	1	2	3	4	5	6	7	8
[k]								
[g]								

Exercice 21

Écoutez et complétez.

1. J'ai un __opain mexi__ain __i fait ses études en France. Il étudie l'an__lais et le __rec moderne à l'université de __lermont-Ferrand.

2. Donnez-moi un __ilo de __arottes et deux man__es, pour les __oûter. Et les abri__ots, ils sont bons ?

3. __aroline adore le __anada mais ses enfants lui man__ent beau__oup. Elle les retrouvera le vingt-cin__ o__tobre __ar il y aura des va__ances s__olaires.

Grandes causes et solidarité

Livre de l'élève
pages 104 et 105

Exercice 22

Lisez cet article puis répondez.

Acteur important de la vie économique et culturelle, le Groupe M6 assume pleinement son rôle social et citoyen, en participant chaque année à diverses opérations de solidarité ou de soutien à des organisations caritatives. Cette action prend essentiellement trois formes distinctes :

• **l'ouverture de l'antenne de M6 aux grandes causes** : que ce soit dans ses magazines d'information (*Ça me révolte, Zone Interdite*), dans des émissions spéciales comme celles consacrées à la catastrophe de Toulouse, dans la retransmission d'événements (Solidays) ou encore dans le jeu *Loft Story*, où les lofteurs ont pu apporter leur soutien au Secours Populaire, M6, à travers ses nombreuses images, apporte un soutien éditorial constant aux grandes causes.

• **la diffusion gracieuse sur M6 de campagnes de publicité pour des œuvres d'intérêt général** : au cours du premier semestre 2002, M6 a ainsi ouvert ses écrans publicitaires à des associations aussi diverses que le Secours Catholique, le SAMU Social de Paris, la Croix-Rouge française, l'Unicef, la Ligue des Droits de l'Homme, la LICRA ou encore l'Institut Pasteur.

• **le soutien financier à diverses associations** : la recherche médicale (Fondation pour la Recherche Médicale), la lutte contre le SIDA (Solidays), l'aide à l'enfance en Roumanie (Frères Paris) et en Afghanistan (Enfants afghans), l'organisation de concerts à l'hôpital Necker-Enfants malades (Neck'airs) ont ainsi bénéficié de l'aide directe du Groupe M6 au premier semestre 2002.

L'engagement de M6 auprès du site jeveuxaider.com témoigne de la volonté du groupe de participer activement aux actions de citoyenneté et de solidarité.

1. M6 est
- ❏ un journal.
- ❏ une chaîne de télévision.
- ❏ une station de radio.

2. M6
- ❏ ne s'intéresse qu'à la vie économique et culturelle.
- ❏ joue un grand rôle dans la solidarité.
- ❏ ne s'intéresse pas aux opérations humanitaires.

3. *Zone interdite* est
- ❏ une émission jeu.
- ❏ un magazine d'informations.
- ❏ une retransmission d'événements.

4. La première forme d'aide que M6 apporte est
- ❏ la diffusion d'émissions consacrées aux grandes causes.
- ❏ l'écriture d'articles consacrés aux grandes causes.
- ❏ la création de journaux télévisés qui ne traitent que des grandes causes.

5. M6
- ❏ gagne beaucoup d'argent avec les publicités pour des œuvres humanitaires.
- ❏ ne fait pas de publicité pour les œuvres humanitaires.
- ❏ diffuse gratuitement les publicités pour les œuvres humanitaires.

6. M6
- ❏ n'a pas le droit de faire des dons aux œuvres humanitaires.
- ❏ fait des dons aux œuvres humanitaires.
- ❏ refuse de faire des dons aux œuvres humanitaires.

10 Modes et marques

**Livre de l'élève
pages 110 et 111**

Associez les éléments.

1. Ah ! Tu sens

2. Alors, tu te sens

3. Oui, je mets

4. Oh, non, je porte

5. J'aime changer de style pour me différencier

6. Ils ont les mêmes marques pour s'identifier

a. aux membres de leur groupe.

b. des autres.

c. bon ! C'est quel parfum ? Guerlain ?

d. ma veste et j'arrive.

e. mieux maintenant, après cette petite sieste ?

f. un gros pull, je n'ai pas froid.

1	
2	
3	
4	
5	
6	

Complétez le texte avec ces mots à la forme qui convient.

se différencier - appartenir - adopter - s'identifier - se reconnaître - rejeter - acquérir

D'abord, les marques ça permet de _ _ _ _ _ aux autres, à ses copains, et si on n'a pas de marques, on est un peu _ _ _ _ _ par les autres. Alors, c'est pour ça que les jeunes portent des marques, pour être comme les autres. Et puis, il faut en avoir pour _ _ _ _ _ des autres, des autres groupes. Et les jeunes ont l'impression, avec les marques, de _ _ _ _ _ une personnalité. Les marques, c'est pour se donner une image, ça sert à dire à quel groupe on _ _ _ _ _, quel genre d'homme on est. Si par exemple, un groupe a _ _ _ _ _ la marque Tartempion, tous les membres du groupe vont _ _ _ _ _ par cette marque Tartempion.

Outils

Justifier un choix

**Livre de l'élève
pages 112 et 113**

Écoutez et complétez le tableau.

	problème évoqué	justification donnée
dialogue 1		
dialogue 2		
dialogue 3		
dialogue 4		

Exercice 4

Transformez la réponse en utilisant la structure proposée.

1. – Tu as changé d'ordinateur ?

– Et oui, maintenant je peux graver des cédés et recevoir des photos par Internet.

(c'est pour ça que) ➔ -

2. – Tu es connecté à Internet ?

– Oui, c'est génial, maintenant je peux aller chercher plein d'informations, télécharger des documents...

(ça permet de) ➔ -

3. – Et c'est utile, cette petite caméra ?

– Oui, avec ça, je peux prendre des photos ou faire de petits films que je peux envoyer à mes amis.

(ça sert à) ➔ -

4. – Mais tu as beaucoup de programmes différents !

– Je peux faire ce que je veux avec tous ces programmes : je peux faire de jolis textes, créer des images, modifier des photos, enregistrer des documents audio...

(c'est pour) ➔ -

5. – Ton autre ordinateur était plus simple, non ?

– Oui, mais pour être vraiment libre de faire ce que je voulais, il fallait que je change d'ordinateur.

(si) ➔ -

Protester / se plaindre

**Livre de l'élève
pages 112 et 113**

Exercice 5

Choisissez la réponse qui convient.

1. *À la poste :*

L'expéditeur n'a pas mis assez de timbres, vous devez payer 4,50 euros pour avoir la lettre.

❑ 4,50 euros ! Je suis ravi !   ❑ 4,50 euros ! C'est scandaleux !   ❑ 4,50 euros ! Ça suffit !

2. *Dans un bureau :*

Non, vraiment, le directeur ne pourra pas vous recevoir aujourd'hui, je vais vous donner un autre rendez-vous.

❑ Ça m'angoisse, j'ai fait 300 kilomètres pour venir ici aujourd'hui.

❑ Ça me réjouit, j'ai fait 300 kilomètres pour venir ici aujourd'hui.

❑ C'est inadmissible, j'ai fait 300 kilomètres pour venir ici aujourd'hui.

3. *À une réunion, dans une entreprise :*

L'usine de Châteauneuf-sur-Loire ne gagne pas assez d'argent, nous allons la fermer.

❑ Je m'insurge contre cette décision : c'est 80 personnes qui vont perdre leur emploi.

❑ Je me réjouis de cette décision : c'est 80 personnes qui vont perdre leur emploi.

❑ Je ne m'inquiète pas pour cette décision : c'est 80 personnes qui vont perdre leur emploi.

Imaginez une réplique pour chaque situation.

1. *Dans un bureau d'une administration :*
 – Non, je suis désolé monsieur, la personne qui s'occupe de votre dossier est en vacances et elle ne revient pas avant une semaine.

2. *Dans le bureau du directeur d'une entreprise :*
 – C'est Aurélie qui, maintenant, va s'occuper de l'Amérique du Sud, et toi, tu seras responsable du marché français.

3. *À l'accueil de l'hôtel d'un club touristique :*
 – Euh, non, 100 € par jour c'est pour la chambre et les repas. Pour les activités à l'extérieur de l'hôtel, il faut payer en plus.

Écoutez, soulignez les mots qui sont différents et écrivez les mots que vous entendez.

1. – Oui, bah, tous mes copains, ils vont à la fête samedi, pourquoi moi, je ne peux pas...
 – Écoute, nous en avons déjà parlé. Samedi, tu ne vas pas à la fête, tu viens avec nous.
 – Pufff ! C'est un scandale ! Je peux jamais faire ce que je veux !

2. – Ah, je regrette, mais regardez, c'est écrit ici, en bas du contrat « Article 37 : pour tout remboursement, les frais... »
 – Mais vous ne m'aviez pas dit ça ! Je suis contre ! Et c'est écrit en tout petit !
 – Oui, mais vous avez signé...

3. – Tout le monde connaît le passé de Monsieur Humeau et tout le monde sait que...
 – C'est incroyable ! Vous ne pouvez pas dire des choses comme ça !
 – Et tout le monde sait que Monsieur Humeau travaille aujourd'hui avec des...
 – Je proteste contre ces affirmations gratuites ! Ce n'est pas possible !
 – Allons, un peu de calme !

L'année dernière, l'école de vos enfants proposait aux élèves d'apprendre trois langues étrangères. Cette année, le nouveau directeur veut supprimer deux langues et ne proposer qu'une seule langue étrangère. Vous écrivez une lettre au directeur pour protester (150 mots).

Ça, celui-ci, celle-là... - lequel, laquelle...

Livre de l'élève
pages 114 et 115

Exercice 9

Que peuvent remplacer les pronoms en gras ? Rayez les mots qui ne conviennent pas.

1. Non, non, **celles-ci** ne me vont pas du tout ! (le chapeau - la chemise - les chaussures)

2. Bon alors, 304 ou 306 ? **Laquelle** tu préfères ? (le modèle - la chambre - les photos)

3. Vous pouvez me donner **ceux** qui sont à votre droite. (le dossier - la feuille - les documents)

4. Bon, alors, **lesquelles** tu prends ? (le bracelet - la bague - les lunettes)

5. Non, **celui-là** va partir mardi soir. (le groupe - les étudiantes - les touristes)

6. Lequel tu préfères ? (le gâteau - la tarte - les croissants)

Exercice 10

Remplacez les mots soulignés par les pronoms *celui, celle... lequel, laquelle...*

1. – Tu vas inviter tous tes amis ?
– Oh, bah, non, pas tous, mais je ne sais pas quels amis inviter !

2. – Est-ce que tous les étudiants peuvent participer à la visite ?
– Non, uniquement les étudiants qui suivent le cours de français commercial.

3. – Tu veux aller à quelle séance ?
– À la séance de 21 h 15.

4. – C'est super, tu as vraiment beaucoup de disques...
– Oui, euh... tu veux écouter quel disque ?

5. – Tu pourrais me passer un stylo ?
– Oui, bien sûr. Ce stylo-là, ça va ?

6. – Tu as l'adresse de Caroline ?
– Quelle Caroline ? Caroline Vasseur ?

7. – Il y a beaucoup de dossiers à voir aujourd'hui ?
– Oui. Mais on va voir d'abord les dossiers qui sont vraiment urgents.

8. – Je voudrais partir à 17 h 50 si possible.
– Le train de 17 h 50 est complet. Il reste des places dans le train de 19 h 15.

Exercice 11

Complétez les phrases avec *ça, celui, celle... lequel, laquelle...*

1. J'en achèterais bien une mais je ne sais pas _ _ _ _ _ prendre.

2. Ce gâteau, c'est moi qui l'ai fait. Et _ _ _ _ _, c'est Laurence qui l'a fait.

3. À l'aller, l'avion était bien. Mais _ _ _ _ _ qu'on a pris au retour, horrible !

4. Oh, tu as vu _ _ _ _ _ ? 199 euros seulement !

5. Non, on ne peut pas accepter _ _ _ _ _ ! Ce n'est pas correct !

6. C'est vrai que l'autre est moins chère, mais si vous voulez une bonne télévision, prenez _ _ _ _ _ !

7. Le service est différent pour les passagers de deuxième classe et pour _ _ _ _ _ de première classe, bien sûr.

8. Tu vas manger tout _ _ _ _ _ ? Mais, c'est beaucoup trop !

phonétique

[ʀ] / [l] **Livre de l'élève page 115**

Exercice 12

Écoutez puis répétez.

1. [ʀ] : région - rapide - compris - amoureux - chambre

2. [l] : lampe - légume - oublier - silence - facile

Exercice 13

Écoutez et répétez.

1. coureur - couleur   **4.** pour - poule   **7.** ranger - langer

2. fort - folle   **5.** prend - plan   **8.** sœur - seule

3. fraîche - flèche   **6.** prêt - plaît

Exercice 14

Écoutez et cochez la case qui convient.

	[ʀ]	[l]
1.	❑ bourg	❑ boule
2.	❑ charrue	❑ chalut
3.	❑ croître	❑ cloître
4.	❑ déloger	❑ déroger
5.	❑ franche	❑ flanche
6.	❑ parent	❑ palan
7.	❑ parier	❑ palier
8.	❑ poire	❑ poil

Exercice 15

Écoutez et complétez les mots avec *r* ou *l*.

1. c _ _ ique   **3.** pi _ _ e   **5.** f _ _ otter

2. g _ _ and   **4.** cou _ _ ant   **6.** c _ _ ocher

Vu sur Internet

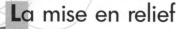

La mise en relief

**Livre de l'élève
pages 116 et 117**

Exercice 16

Imaginez les phrases de base en supprimant la mise en relief (*c'est...qui, c'est...que*).
Exemple : **C'est** Lucie **qui** apprend le japonais. ➜ *Lucie apprend le japonais.*

1. Oui, c'est pour toi que je l'ai acheté !

2. Ah, c'est Céline qui va être contente !

3. C'est quel exercice que nous avons fait hier ?

4. C'est à Lyon qu'il habite ?

5. C'est chez sa sœur qu'elle est partie.

6. C'est moi qui le lui ai dit.

7. C'est à quelle heure qu'elle est arrivée ?

8. C'est Béatrice qui va acheter le cadeau.

Exercice 17

Transformez les phrases en mettant en relief l'élément souligné.
Exemple : – *Vous avez parlé au directeur ?*
  – *Non, j'ai parlé <u>au directeur-adjoint</u>.* ➜ *Non, **c'est** au directeur-adjoint **que** j'ai parlé.*

1. – Elle est restée longtemps en Lettonie ?
   – Euh, pas en Lettonie, elle a habité <u>en Estonie</u> !

2. – Pourquoi elle ne travaille pas avec Audrey ?
   – Parce que... elle veut travailler <u>avec Mathilde</u>.

3. – S'il arrive le 13, pas de problème !
   – Non, non, il arrive <u>le 16</u>.

4. – Donc, en 1792, le roi Louis XIV est mis en prison et il sera...
   – Euh, excusez-moi, en 1792, <u>Louis XVI</u> était le roi de France.

5. – Si tu veux, je peux t'aider.
   – Je n'ai pas besoin d'aide. J'ai besoin <u>de calme</u> ! Tu comprends ça ?

6. – Alors, moi, je vais à Budapest ?
   – Non, <u>je</u> vais à Budapest. Toi, tu vas à Bucarest.

7. – Nous, nous travaillons généralement avec la société Jarnac.
   – Ah, nous, nous avons eu des problèmes <u>avec cette société</u>.

Exercice 18

Transformez les phrases en mettant en relief l'élément souligné.
Exemple : <u>Je voudrais</u> avoir un peu plus de temps. ➜ **Ce que** je voudrais, **c'est** avoir un peu plus de temps.

1. <u>Elle voudrait</u> que tu la laisses s'occuper du projet Forcadet.

2. <u>J'aimerais savoir</u> où elle va trouver assez d'argent pour tout payer.

3. Son attitude négative <u>m'énerve vraiment</u>.

4. <u>Je ne comprends pas</u> comment il a pu faire une erreur pareille.

5. <u>Elle aimerait</u> acheter une petite maison à la campagne.

6. L'augmentation du prix du pétrole <u>nous inquiète beaucoup</u>.

7. <u>Elle ne sait pas</u> que, moi aussi, je suis allé voir le directeur.

8. <u>Je veux vous montrer</u> que la deuxième solution est beaucoup plus économique.

Livre de l'élève
pages 118 et 119

Exercice 19

Lisez le texte et répondez aux questions.

Beau et « pro » à la fois

Dans une petite salle d'un grand hôtel parisien, à deux pas de la place Vendôme, samedi 22 mai, Serena Williams est enfin apparue sous les crépitements de plusieurs rangées de photographes. Sur le podium, dans une robe fushia et un blouson de cuir blanc, avec dans le dos, son prénom brodé au laser, elle s'est volontiers prêtée au jeu. À la fois star du tennis et mannequin.[…]

Une championne, une grande marque : rien de plus banal. Il y a désormais belle lurette que l'on s'est habitués à voir les grands sportifs associés aux sponsors qui les habillent de la tête aux pieds. À tel point que le phénomène a fini par gagner le grand public. Avec l'augmentation du temps libre, donc des loisirs, les Français se sont mis au sport. Randonnée, vélo, jogging, rollers, tennis, piscine... on profite des 35 heures pour bouger et prendre soin de son corps.

À l'image de leurs champions, les sportifs du dimanche choisissent des équipements esthétiques et technologiques.

D'abord en amateur qui ne se soucie pas plus que ça de sa tenue et de son équipement. Puis en quasi-professionnel qui, au contraire, devient pointilleux en tout. […] À ce stade, les champions donnent l'exemple et offrent le miroir idéal.

Adopter le matériel et la tenue de telle star d'une discipline, c'est s'identifier à sa personne, mais aussi à ses performances. […] Il suffit qu'un cycliste vedette du Tour de France porte des lunettes d'une certaine couleur pour que le modèle connaisse un succès commercial. […]

Coureur, cycliste, tennisman ou nageur, le sportif du dimanche veut se glisser dans l'image du champion. Les marques s'appliquent à le satisfaire.

D'après *Le Monde*,
samedi 29 mai 2004.

1. Le 22 mai, près de la place Vendôme, Serena Williams a participé à :

❑ une visite des monuments de Paris.

❑ un match de tennis.

❑ une présentation de vêtements.

❑ un entretien avec des journalistes.

2. Les grands sportifs :

❏ doivent acheter tous leurs vêtements.

❏ peuvent recevoir d'une grande marque tous leurs vêtements de sport.

❏ ont beaucoup de problèmes pour obtenir des vêtements de marque.

3. Les Français

❏ ont maintenant plus de temps libre et font plus de sport.

❏ ont maintenant plus de temps libre mais font moins de sport.

❏ ont maintenant moins de temps libre mais font plus de sport.

❏ ont maintenant moins de temps libre et font moins de sport.

4. Selon le texte, quand une personne aime un grand sportif,

❏ elle lit beaucoup d'articles de journaux sur ce grand sportif.

❏ elle veut souvent rencontrer ce grand sportif.

❏ elle achète les mêmes vêtements que ce grand sportif.

❏ elle lui écrit beaucoup de lettres.

5. Que signifie la dernière phrase du texte « Les marques s'appliquent à le satisfaire. » ?

- -

- -

11
Vie active

Exercice 1

Livre de l'élève
pages 120 et 121

Dans chacune des phrases, rayez le mot qui ne convient pas et remplacez-le par le mot qui convient.

1. Il faut qu'on discute du développement de la société ; nous avons donc fixé une place aujourd'hui à 15 heures.

2. Il aime beaucoup son nouveau personnel : il est directeur du marketing.

3. La partie commerciale ne m'intéresse plus beaucoup, je vais demander à changer de délégué.

4. Le directeur a réuni l'ensemble du secteur pour le féliciter des bons résultats de l'entreprise.

5. Je vais demander aux informaticiens de m'aider car j'ai des problèmes avec le directeur.

Exercice 2

Associez chaque dessin à une profession. Choisissez ensuite le lieu où on exerce chacune de ces professions.

a) un professeur   **A)** un chantier

b) un peintre   **B)** un atelier

c) une secrétaire   **C)** une classe

d) un maçon   **D)** un cabinet

e) un médecin   **E)** un magasin

f) un vendeur de vêtements   **F)** un bureau

a	b	c	d	e	f

Outils

Exprimer l'opposition

Livre de l'élève
pages 122 et 123

Exercice 3

Complétez ces minidialogues avec *malgré, même si, pourtant.*

1. – Moi, je n'ai qu'une poubelle. Je ne trie jamais mes déchets.

– Ah ! bon ! _ _ _ _ _ c'est important pour le respect de l'environnement !

2. – Je crois que je resterai chez moi, je suis fatiguée.

– Allez, _ _ _ _ _ tu n'as pas très envie, tu dois venir !

3. – Je n'aime pas les fruits.

– _ _ _ _ _ tu as mangé des fraises à midi !

4. – On n'ira pas chez Dominique ce soir.

– _ _ _ _ _, c'est bizarre, elle vous a invités !

5. – J'ai 10 kg à perdre.

– Toi ? _ _ _ _ _ tu n'es pas grosse.

6. – Je vais arroser le jardin.

– _ _ _ _ _ la météo annonce de la pluie ?

7. – Ma mère part en voyage aux Seychelles avec une amie.

– _ _ _ _ _ son âge ?

8. – Je crois que je ne viendrai pas à la fête de samedi.

– _ _ _ _ _ Philippe risque d'être très déçu ?

Exercice 4

Transformez les phrases en utilisant d'autres moyens d'exprimer l'opposition. Pour chaque phrase, choisissez l'un des articulateurs proposés.

Exemple : Je n'aime pas beaucoup le lapin mais je vais en manger un peu. (bien que / quand même / pourtant / même si)

   → *Je n'aime pas beaucoup le lapin, je vais quand même en manger un peu.*

1. Je vais essayer de t'expliquer bien que je n'aie pas tout compris, moi non plus. (pourtant / même si / quand même) → _ .

2. Pierre a eu son examen, pourtant il pensait qu'il n'avait pas réussi. (alors que / quand même / même si) → _ .

3. J'ai envie de gâteaux au chocolat mais je ne vais pas en acheter. (malgré / bien que / pourtant)

   → _ .

4. Malgré son problème de voiture, Franck est arrivé à l'heure au bureau. (même si / pourtant / bien que) → _ .

5. Ils ont des petits soucis d'argent, ils viennent quand même d'acheter un téléviseur et un magnétoscope. (pourtant / même si / alors que) → _ .

Associez les éléments et écrivez des phrases avec *au contraire, alors que, pourtant, bien que, quand même, malgré, mais, en revanche...*

- l'accident
- les examens
- les nombreux voyages
- la mort de son grand-père
- le sport
- la beauté

- rester gai et de bonne humeur.
- continuer à vivre seul.
- aller danser tous les soirs.
- ne pas maigrir.
- avoir toujours envie de découvrir de nouveaux pays.
- continuer à faire du sport.

-   -

-   -

-   -

Exercice 6

Écrivez des phrases avec *en revanche, par contre, au contraire* **pour opposer les éléments proposés.**

1. Les deux frères Arthur et Romain.

5. Le français et votre langue.

2. L'hiver et l'été.

3. Le blanc et le noir.

4. Mozart et Bénabar.

- -

- -

- -

- -

Les adverbes en -ment

**Livre de l'élève
pages 122 et 123**

Exercice 7

Rayez le mot qui ne convient pas.

1. On doit toujours travailler (rapide - rapidement) !

2. Je trouve que c'est (facile - facilement) de parler français.

3. Il m'a parlé plutôt (dur - durement)...

4. Le chien ne m'a pas mordu (méchant - méchamment), c'était juste pour jouer.

5. Tu n'es pas (patient - patiemment), il va arriver ton bus !

6. Attends (calme - calmement) que tes parents viennent te chercher.

7. Je me suis (léger - légèrement) trompé, mon numéro est le 01 45 65 31 41 et non 42...

8. Le gardien nous a rappelé (gentil - gentiment) qu'il ne fallait pas marcher sur la pelouse.

Exercice 8

Transformez les phrases en utilisant un adverbe en *-ment*.

Exemple : Il faut attendre et être patient. → Il faut attendre patiemment.

1. Tu peux répéter avec un peu plus de lenteur, s'il te plaît ?

2. Il a réussi de façon brillante tous ses examens avec une moyenne de 16 sur 20.

3. C'est mal écrit ! Elle ne peut pas écrire de façon plus claire ?

4. Vous parlez français de façon courante ?

5. Bérénice s'habille toujours avec élégance.

6. En ce jour, je pense à mes parents, c'est évident.

7. Il faut écrire cette phrase de manière différente.

8. Je vais tout vous raconter de façon très simple.

Exercice 9

Faites des phrases avec les mots proposés.

1. Difficile : _

2. Difficilement : _ _ _ _ _ _ _ _ _ _ _ _ _ _ _ _ _ _

3. Violent : _

4. Violemment : _ _ _ _ _ _ _ _ _ _ _ _ _ _ _ _ _ _ _

Dialoguer au téléphone

**Livre de l'élève
pages 124 et 125**

Exercice 10

Lisez puis classez ces formules.

1. Qui est à l'appareil ?

2. Allo, Madame Dubreuil ?

3. Un instant, s'il te plaît.

4. Vous voudrez bien lui dire que j'ai appelé et que je rappellerai demain matin, s'il vous plaît ?

5. Monsieur Saint-Martin est occupé. Vous voulez bien rappeler dans 20 minutes ?

6. Corinne Grangier à l'appareil, bonjour.

7. Bonjour, c'est Monsieur Lejeune ?

8. Bonjour, je suis Emmanuel Durandeau des éditions du Soleil levant.

9. Restez en ligne, je vais voir si elle est là.

10. Je voudrais parler à Claude Gary, s'il vous plaît.

11. C'est de la part de qui, s'il vous plaît ?

12. Vous êtes... ?

13. Bonjour. Est-ce que Mélanie Gendron est là, s'il vous plaît ?

14. Ne quittez pas.

15. Vous voulez laisser un message ?

16. C'est Marie. Salut !

17. Bonjour. Vous pourriez me passer Marie-Pierre, s'il vous plaît ?

	n°
pour commencer	_ _ _ _ _
pour se présenter	_ _ _ _ _
pour demander à quelqu'un de se présenter	_ _ _ _ _
pour demander à quelqu'un de patienter	_ _ _ _ _
pour proposer ou demander quelque chose	_ _ _ _ _

Écoutez puis complétez le tableau.

	Qui appelle ?	À qui veut-il / elle parler ?	La personne est-elle là ?	Quel est le but de l'appel ?
dialogue 1				
dialogue 2				
dialogue 3				

A Posez des questions à votre partenaire pour compléter votre tableau. Lisez ensuite vos deux dialogues et répondez aux questions de votre partenaire.

	dialogue 1	dialogue 2
1. Qui appelle ?	- - - - - - - - - -	- - - - - - - - - -
2. À qui la personne veut-elle parler ?	- - - - - - - - - -	- - - - - - - - - -
3. Quel est le but de l'appel ?	- - - - - - - - - -	- - - - - - - - - -
4. La personne appelée est-elle là ? (oui / non)	- - - - - - - - - -	- - - - - - - - - -
5. La personne qui appelle laisse-t-elle un message ?	- - - - - - - - - -	- - - - - - - - - -
6. Si oui, quel est le message ?	- - - - - - - - - -	- - - - - - - - - -

3.
– Société ELI, bonjour.
– Bonjour, c'est Julia Lopez.
– Bonjour Julia, comment allez-vous ?
– Bien, merci. J'aimerais parler à Yann Cellier, s'il vous plaît.
– Oui, à quel sujet ?
– Pour lui reparler de ma commande de début mars.
– Ne quittez pas, je vous le passe.

4.
– Allo.
– Salut, c'est Nicolas. Nicolas Gueslier.
– Ah ! oui, salut, Nicolas. Ça va ?
– Bien, bien. Toi aussi ?
– Oui.
– J'appelais Francis pour lui proposer un tennis demain matin.
– Il est là ?
– Non, mais il sera là cet après-midi. Je lui dis que tu as appelé ?
– Oui, dis-lui qu'il me rappelle au bureau, d'accord ?
– D'accord !

B Après avoir lu vos deux dialogues, répondez aux questions de votre partenaire. Posez-lui ensuite des questions pour compléter votre tableau.

1.
– Services DHM, bonjour.
– Bonjour. François Mourou de la société Activit'.
– Bonjour Monsieur Mourou.
– J'appelle pour la signature de notre contrat. Madame Lepic est-elle là aujourd'hui, s'il vous plaît.
– Oui, mais elle est en réunion toute la matinée.
– Vous pouvez rappeler cet après-midi ?
– Ah ! non, c'est moi qui serai en réunion. Vous pouvez lui demander qu'elle me rappelle jeudi matin, s'il vous plaît ?
– Bien sûr, pas de problème !

2.
– Allo ?
– Mme Leclerc ?
– Oui, bonjour.
– Bonjour madame. C'est Laura, l'amie de Catherine. Est-ce qu'elle est là, s'il vous plaît ?
– Je crois qu'elle est dans sa chambre mais je n'en suis pas sûre...
– J'espère qu'elle est là parce que j'ai un problème avec les exercices de maths...
– Ah ! si, je l'entends. Ne quitte pas, Laura. Je te passe Catherine.

	dialogue 3	dialogue 4
1. Qui appelle ?		
2. À qui la personne veut-elle parler ?		
3. Quel est le but de l'appel ?		
4. La personne appelée est-elle là ? (oui / non)		
5. La personne qui appelle laisse-t-elle un message ?		
6. Si oui, quel est le message ?		

Exercice 13

Associez les questions et les réponses.

1. Est-ce que je pourrais parler à Louis, s'il te plaît ?
2. Vous voulez laisser un message ?
3. Ophélie Lebrun, de la société L.U.P. Je souhaiterais parler au directeur des ventes.
4. C'est de la part de qui ?
5. Re-bonjour, c'est encore Yves Bovet. Vous pouvez me repasser Madame Paul ?
6. Vous patientez un instant, s'il vous plaît ?
7. Est-ce que vous pourriez rappeler un peu plus tard ?
8. C'est Louise ?

a) Euh... Oui... Je ne sais pas si elle est encore dans son bureau.
b) Vers quelle heure ?
c) Ne quitte pas, je te le passe.
d) Non merci. Je rappellerai un peu plus tard.
e) Ah ! non, c'est Élodie, sa sœur.
f) La directrice des ventes est absente aujourd'hui.
g) Oui, pas de problème. J'attends.
h) Annick Rouger. Je suis une amie de Luc.

Vu sur Internet

Livre de l'élève
pages 126 et 127

Exercice 14

Complétez les minidialogues en utilisant *de plus en plus* **ou** *de moins en moins*.
Exemple : Tu as toujours beaucoup de chance ?
→ *Non, ça a beaucoup changé, j'ai de moins en moins de chance.*

1. – Vous avez toujours envie d'aller au Costa Rica ?

– Oui, on a même _____ .

2. – Ton fils aime toujours autant les chanteurs de rap ?

– Pas vraiment, ses goûts ont changé, _____ ,

3. – Vous allez toujours aussi souvent à l'île de Ré pendant les mois d'été ?

– On trouve qu'il y a trop de monde et on _____ .

4. – Tu as vu le bébé de Marie-Ange ? Il est beau, hein ?

– Ah ! oui, il _____ .

5. – J'ai du mal à te lire ; tu écrivais mieux avant, non ?

– Bah oui, je ne sais pas pourquoi j'écris _____ .

6. – Vous avez beaucoup d'amis maintenant à Strasbourg ?

– Oui, on aime beaucoup cette ville et on _____ .

7. – On dîne dehors ou vous préférez rentrer dans la maison ? Il fait un peu froid, non ?

– Oui, _____ .

8. – Tu as parlé avec Henri ? Il est bizarre, tu ne trouves pas ?

– Si, il _____ .

Depuis, il y a

Livre de l'élève
pages 126 et 127

Exercice 15 🎧

Écoutez puis complétez le tableau.

	1	2	3	4	5	6
L'action continue.						
L'action est terminée.						

E x e r c i c e   1 6

Transformez les phrases selon les exemples.

a) *Exemple : Depuis **que j'ai changé de poste**, je me sens beaucoup mieux.*

→ *Depuis **mon changement de poste**, je me sens beaucoup mieux.*

1. Depuis qu'elle était partie de Nice, je n'avais pas eu de nouvelles de Laura.

2. Je vois Michel plus souvent depuis qu'il s'est marié avec Sabine.

3. Depuis qu'il est arrivé dans la société, tout le monde est tendu.

4. Réginald est devenu célèbre depuis qu'il a rencontré Isabelle Adjani.

5. Depuis qu'il avait créé son entreprise, François n'avait plus de loisirs.

b) *Exemple : Depuis **mon déménagement**, je suis toujours malade.*

→ *Depuis **que j'ai déménagé**, je suis toujours malade.*

1. Depuis l'évolution de nombreuses techniques, la vie quotidienne s'est transformée.

2. Lucie est d'excellente humeur depuis sa réussite aux examens.

3. Elle est très triste depuis le départ de Max.

4. Depuis la fin de nos examens, on fait la fête tous les soirs.

5. Depuis l'arrivée de Jean dans la maison, tout le monde se sent bien.

E x e r c i c e   1 7

Complétez avec *depuis* ou *depuis que*.

1. Véronique n'est plus en France ; elle vit au Caire _ _ _ _ _ _ _ _ _ un an.

2. Elle a beaucoup changé _ _ _ _ _ _ _ _ _ elle est mariée avec Jean-Jacques.

3. Juliette est partie _ _ _ _ _ _ _ _ _ le 15 avril.

4. Les bébés avaient beaucoup grandi _ _ _ _ _ _ _ _ _ on ne les avait pas vus !

5. J'ai trop de travail, je n'ai pas lu un seul roman _ _ _ _ _ _ _ _ _ au moins un mois !

6. _ _ _ _ _ _ _ _ _ on est arrivés ici, on ne voit pas le temps passer.

E x e r c i c e   1 8

Complétez avec *depuis* ou *il y a*.

1. On a reçu ta carte du Mexique _ _ _ _ _ _ _ _ _ deux jours. Merci !

2. Je n'ai pas dîné au restaurant _ _ _ _ _ _ _ _ _ très longtemps.

3. _ _ _ _ _ _ _ _ _ quelques années, j'ai vu un fabuleux concert de David Bowie à Paris.

4. J'ai acheté cette voiture _ _ _ _ _ _ _ _ _ six mois et _ _ _ _ _ _ _ _ _ que je l'ai, j'ai toujours des ennuis mécaniques !

5. Elle a beaucoup maigri _ _ _ _ _ _ _ _ _ son mariage et elle se sent mieux.

6. Nous n'avions pas revu Benoît _ _ _ _ _ _ _ _ _ nos études à l'université.

7. _ _ _ _ _ _ _ _ _ deux mois, j'ai visité le Mexique et ce pays m'a impressionnée.

8. Massimo est de nouveau en Italie _ _ _ _ _ _ _ _ _ trois semaines.

phonétique

Quelques homophones

Livre de l'élève
page 127

Exercice 19

Écoutez et entourez le mot qui convient.

1. butte – but – bute
2. port – pore – porc
3. sans – sang – cent

4. verre – verre – vert
5. près – pré – prêt
6. mai – mais – mets

7. maire – mer – mère
8. selle – celle – sel

Exercice 20

Complétez les phrases avec le mot qui convient.

1. Tu es (sur - sûr) _ _ _ _ _ _ _ _ _ que tout le monde est arrivé ?

2. (Ses - C'est) _ _ _ _ _ _ _ _ _ à qui (ces - ses) _ _ _ _ _ _ _ _ _ clés ?

3. Il ne se souvient de rien ; (quand - quant) _ _ _ _ _ _ _ _ _ à sa sœur, elle ne veut pas parler.

4. Marine voudrait bien voir (sa - ça) _ _ _ _ _ _ _ _ _, elle aime l'art.

5. (On - Ont) _ _ _ _ _ _ _ _ _ ne sait pas pourquoi ils ne nous (ont - on) _ _ _ _ _ _ _ _ _ rien dit.

6. Il a (du - dû) _ _ _ _ _ _ _ _ _ partir plus tôt ; excusez-le.

7. Où est-ce que tu as (mi - mis) _ _ _ _ _ _ _ _ _ les clés de la voiture ?

8. Non, je ne l'ai pas (fête - faite) _ _ _ _ _ _ _ _ _ .

Au travail

Livre de l'élève
pages 128 et 129

Exercice 21

Lisez le document puis répondez aux questions.

Toujours pas de plaisir au travail

Pour 68 % des salariés français, travailler c'est d'abord un moyen de gagner sa vie,
bien avant d'être un moyen de se faire plaisir. Mais les cadres[1] s'avouent
un peu plus heureux que la moyenne.

Véritable baromètre du moral des salariés français, l'enquête de l'institut Ifop sur le climat interne de l'entreprise est reconduite pour la deuxième année consécutive. La satisfaction des salariés, en légère baisse cette année, semble suivre la courbe de la crise économique. Mais le contentement (ou le mécontentement) des 871 salariés interrogés varie selon leur identité, leur classe sociale ou le type d'entreprise où ils travaillent.

1. Personnel appartenant à la catégorie supérieure d'une entreprise.

Pour vous le travail c'est d'abord...

• Un moyen de gagner sa vie	68 %
• Un moyen de réussir sa vie	15 %
• Un plaisir	9 %
• Une obligation	8 %

Travail, du latin *trepalium*, signifie instrument de torture. Cette étymologie n'est pas franchement partagée par les salariés français qui considèrent avant tout (68 %) que le travail est un moyen de gagner sa vie. Pour certains, encore plus pessimistes (8 %), le travail fait tout simplement figure d'obligation. Aux côtés de ces deux populations, seulement 15 % des salariés français estiment que le travail est un moyen de réussir sa vie, et 9 % qu'il apporte du «plaisir». On notera malgré tout que 24 % des salariés français avouent prendre, de temps en temps, du plaisir en travaillant. Dans le même temps, 39 % se sentent souvent obligés d'aller travailler. Bref, l'univers professionnel est une terre de contradictions.

Part des travailleurs qui estiment prendre du plaisir au plan professionnel

Selon le statut	
• Agriculteurs, artisans, commerçants	25 %
• Cadres supérieurs	19 %
• Salariés de l'enseignement supérieur	14 %
• Ouvriers	2 %
Selon le sexe	
• Femmes	11 %
• Hommes	8 %
Selon l'entreprise	
• Entreprises de 6 à 9 salariés	24 %
• Entreprises de 50 à 249 salariés	4 %
• Entreprises appartenant à une filiale	4 %

Les agriculteurs, les artisans et autres commerçants sont, toujours d'après l'enquête Ifop, les travailleurs les plus heureux. 25 % d'entre eux travaillent d'abord par plaisir. Suivent les cadres supérieurs (19 %) et le personnel de l'enseignement supérieur (14 %). L'indépendance et l'autonomie semblent donc être les deux facteurs essentiels garantissant le plaisir professionnel.

Ce plaisir varie également selon le sexe, la localisation géographique et la nature de l'entreprise. Les femmes s'avouent ainsi globalement plus heureuses dans leur travail que les hommes (11 % contre 8 %). Et c'est en région parisienne, où sont sur-représentés les cadres supérieurs, que les salariés prennent le plus de plaisir à la tâche (15 %).

Vous êtes optimiste concernant l'avenir de...

• Votre entreprise	70 %
• Votre situation professionnelle	69 %
• Votre secteur économique	63 %
• L'économie en France	31 %

Pour finir, on remarquera que cette faible notion de plaisir n'empêche pas les salariés de se montrer globalement optimistes quant à leur situation et à leur environnement. Ils sont ainsi 70 % à s'avouer optimistes sur l'avenir de leur entreprise et 69 % sur l'avenir de leur situation professionnelle. Ne pas se faire plaisir ne veut donc pas forcément dire être pessimiste.

Enquête Ifop, avril 2004,
parue dans *Journal du management*.

	vrai	faux	?
1.			
2.			
3.			
4.			
5.			
6.			
7.			

1. En 2003, les Français se déclaraient plus heureux au travail qu'en 2004.

2. Pour la plupart, le travail sert à gagner de l'argent.

3. Environ la moitié des Français aiment bien ce qu'ils font au travail.

4. Ce sont les professeurs qui prennent le plus de plaisir au travail.

5. Plus l'entreprise est importante, plus les employés sont heureux.

6. Ce que les employés préfèrent, c'est le travail en équipe.

7. Plus de la moitié des personnes pensent que la situation économique de la France va s'améliorer.

12
Abus de consommation

| **Exercice 1** | **Livre de l'élève**
pages 130 et 131 |

Complétez le texte avec ces mots, à la forme qui convient.

améliorer	*conserver*	*réfléchir*	*la disparition*
apparaître	*fixer*	*respecter*	*l'exploitation*
célébrer	*inventer*	*la consommation*	*l'importation*
cesser	*rassembler*	*la discrimination*	*l'interdiction*

1. Nous avons _ _ _ _ _ _ _ _ un nouvel appareil qui permet aux aveugles de « lire » tous les documents écrits.

2. Les syndicats ont permis de _ _ _ _ _ _ _ _ les conditions de travail depuis 50 ans : il y a moins de bruit, plus de sécurité...

3. La couleur de la peau, le sexe, l'origine sociale sont souvent des motifs de _ _ _ _ _ _ _ _ .

4. Pourriez-vous _ _ _ _ _ _ _ _ de parler ? J'aimerais bien pouvoir écouter la conférence !

5. La date du 14 juillet a été choisie pour _ _ _ _ _ _ _ _ la Révolution française.

6. Chaque employé a des droits et les entreprises doivent les _ _ _ _ _ _ _ _ .

7. Lorsque la _ _ _ _ _ _ _ _ augmente, les entreprises peuvent produire plus et gagner plus d'argent.

8. Les producteurs français protestent contre les _ _ _ _ _ _ _ _ de fruits espagnols.

| **Exercice 2** |

Complétez le tableau.

le verbe	l'action	la personne
produire	la production	_ _ _ _ _
importer	_ _ _ _ _	l'importateur
acheter	_ _ _ _ _	_ _ _ _ _
consommer	_ _ _ _ _	_ _ _ _ _
construire	_ _ _ _ _	_ _ _ _ _
diriger	_ _ _ _ _	_ _ _ _ _

Organiser un discours écrit ou oral

Livre de l'élève
pages 132 et 133

Exercice 3

Complétez les phrases avec *en effet* ou *en fait*.

1. – Attends, quel numéro je t'ai donné ?

– 04 42 56 99 00.

– Euh, _ _ _ _ _, ça c'est son numéro de télécopie. Son numéro de téléphone, c'est le 04 42 56 12 88.

2. – Mais, Franck Joulain m'a dit que c'était d'accord.

– Euh, _ _ _ _ _ c'est Madame Nguyen qui devait vous donner l'autorisation, pas Monsieur Joulain.

3. – Et il y a une réduction, non ?

– Oui, oui, vous voyagez à deux, alors, _ _ _ _ _, vous avez droit à une réduction de 25 %.

4. – Bonjour. Ludovic Jarry. Vous avez une chambre pour moi, je crois.

– _ _ _ _ _ Monsieur Jarry. Pour 2 nuits. Chambre 412.

5. – C'est plus rapide de prendre le train, non ?

– _ _ _ _ _, en train, on y est en 3 heures seulement.

Exercice 4

Rayez le mot qui ne convient pas.

1. Les écrans ordinaires coûtent environ 100 euros. Les écrans plats, (par ailleurs ; quant à) eux, coûtent de 300 à 500 euros.

2. L'année prochaine risque d'être encore assez difficile. Les spécialistes en économie prévoient (en effet ; aussi) une augmentation du prix du pétrole.

3. On pourrait penser que le pays va mal. (Par ailleurs ; En fait), on vit beaucoup mieux qu'il y a vingt ans.

4. Il faudra d'une part travailler moins et (d'autre part ; par ailleurs) voir votre médecin très régulièrement.

5. Je pensais qu'on aurait assez d'argent. (En réalité ; En effet), il nous manque près de 1 000 euros.

Exercice 5

Récrivez les phrases en utilisant les mots entre parenthèses pour lier les deux idées présentées.

1. (aussi) Il faudra contacter Muriel Legrand. Il faudra que vous rencontriez le directeur de la Société Beaudoin.

2. (d'une part ; d'autre part) Je vous propose de faire autrement. Cela permettra de ne pas commettre les mêmes erreurs qu'avant. On obtiendra, je crois, de meilleurs résultats.

3. (quant à) Amina ne peut pas parce qu'elle est de garde à l'hôpital. Vincent ne m'a pas encore dit s'il pouvait venir.

4. (par ailleurs) Le parc est ouvert tous les jours de 8 heures à 19 heures. Nous proposons un spectacle de nuit, tous les samedis, entre 21 h 30 et 0 h 30.

5. (en réalité) Je pensais que c'était gratuit. Il fallait payer 5 euros pour entrer !

Complétez les phrases avec le mot qui convient.

d'une part - d'autre part - également - en fait - en effet - par ailleurs - quant à

1. Vous devrez sans doute prendre un taxi. Il y a, _ _ _ _ _, assez peu d'autobus après 22 heures.

2. L'examen écrit aura lieu le 17 juin. _ _ _ _ _ l'examen oral, les dates vous seront données à partir du 6 juin.

3. Nous souhaiterions, d'une part améliorer les conditions de travail, _ _ _ _ _ augmenter le nombre d'employés.

4. Il faudra apporter votre dernière facture de téléphone, vous devrez _ _ _ _ _ présenter une pièce d'identité.

5. J'ai fait une erreur : je croyais que c'était à Guadalajara, au Mexique, _ _ _ _ _ c'était à Guadalajara, en Espagne.

Lisez les phrases et retrouvez celles qui vont ensemble pour écrire deux textes.

– Enfin, notre ville est mieux connue dans les autres régions ou les autres pays.

– Enfin, pour conserver le nombre de touristes, il faut faire de la publicité dans les autres régions et les autres pays.

– Ensuite, l'argent apporté par le tourisme sert à rénover ou entretenir nos monuments et à rendre la ville plus belle.

– Il faut, premièrement, créer les structures d'accueil qui permettent de passer de 5 000 habitants en hiver à 50 000 habitants en été.

– Il permet d'abord de créer de nombreux emplois dans notre ville.

– Puis, il faut, chaque année, essayer d'offrir de meilleures conditions d'accueil.

Le développement touristique présente de nombreux avantages. _

Le développement touristique n'est pas aussi simple qu'on le pense. _

Complétez le texte avec :

quant à - par ailleurs - d'abord - d'autre part - d'une part - en effet - enfin - ensuite.

Selon une étude de l'INSEE publiée récemment, les inégalités entre femmes et hommes subsistent. _ _ _ _ _, dans le monde du travail, deux caractéristiques rendent la recherche d'emploi difficile. _ _ _ _ _, entre 25 et 49 ans, 80 % des femmes sont actives contre 95 % des hommes. _ _ _ _ _, le taux de chômage des femmes est plus élevé que celui des hommes (10 % contre 7 %). _ _ _ _ _, leur salaire est inférieur à celui des hommes. _ _ _ _ _, les Françaises gagnent environ 18 % de moins que les Français.

_ _ _ _ _, les personnes de 30-45 ans qui élèvent seules leurs enfants sont essentiellement des femmes : on compte 11 % de mères seules contre 1,4 % de pères isolés.

Les emplois de chercheurs ne sont occupés par des femmes qu'à 25 %, _ _ _ _ _ aux postes de direction dans les entreprises, ils sont encore aux mains des hommes à 86 %.

_ _ _ _ _, en politique, on ne compte que 11 % de députées et seuls 7 % des maires de France sont des femmes.

Articulateurs logiques

Livre de l'élève
pages 134 et 135

Exercice 9 🎧

Écoutez et cochez la proposition qui indique la cause.

1. ❑ il faut faire vite   ❑ on a pris beaucoup de retard.

2. ❑ je ne connais pas la ville   ❑ j'ai peur de me perdre.

3. ❑ tu pourrais peut-être m'aider   ❑ tu as du temps.

4. ❑ personne ne dit la même chose   ❑ on ne saura jamais ce qui s'est vraiment passé.

Exercice 10 🎧

Écoutez et dites si les phrases expriment une cause, une conséquence, une opposition ou un but.

	1	2	3	4	5	6	7	8
cause								
conséquence								
opposition								
but								

Exercice 11

Rayez le mot qui ne convient pas.

1. L'aéroport de Vancouver est fermé (en raison d' - au lieu d') importantes chutes de neiges.

2. Oui, la ville est petite, (comme - pourtant) je l'aime bien.

3. Ah, pourrais-tu me rapporter un bon dictionnaire d'allemand, (puisque - afin que) tu passes à Berlin ?

4. J'ai encore des problèmes pour écrire correctement (si bien que - bien que) j'étudie la langue depuis 5 ans déjà.

5. Non, je ne pourrai pas aller te chercher à la gare (par conséquent - en revanche) il faudra que tu prennes un bus ou un taxi.

6. Il n'acceptait pas les cartes bancaires (c'est pourquoi - étant donné que) j'ai dû retirer de l'argent à un distributeur automatique pour le payer.

7. J'aimerais beaucoup que vous veniez, (en conséquence - même si) vous ne pouvez rester qu'une heure ou deux.

8. J'ai dû acheter un nouveau frigo et une nouvelle machine à laver (pour que - si bien que) je n'ai plus beaucoup d'argent ce mois-ci.

Récrivez les phrases en associant les propositions qui conviennent.

1. On ne peut pas ouvrir toutes les salles du musée en raison de
2. Ce serait mieux de réduire le salaire du directeur au lieu de
3. J'étais vraiment très fatigué si bien que
4. Comme mes parents n'étaient pas à la maison,
5. Malheureusement, ma candidature a été refusée étant donné que
6. Je ne suis pas sûr d'avoir le poste bien que

a. j'ai seulement une licence de gestion commerciale.
b. je parle anglais, arabe et japonais.
c. je suis rentré chez moi très tôt.
d. le salaire des employés.
e. on a fait la fête jusque vers 2 heures du matin.
f. un manque de personnel.

Faites une seule phrase avec les deux phrases proposées en utilisant *avoir beau*.
Exemple : Je lui explique. Elle ne comprend pas.
→ *J'ai beau lui expliquer, elle ne comprend pas.*

1. Je la connais depuis dix ans. Elle me surprend toujours.
2. Il gagne beaucoup d'argent. Il n'est pas très heureux.
3. Vous consulterez dix médecins. Ils vous diront la même chose que moi.
4. J'ai couru. J'ai raté le train.
5. Tu suis des cours. Ton anglais est toujours aussi mauvais.
6. Ils avaient des produits de qualité. Ils n'arrivaient pas à les vendre.
7. Je fais des efforts. Elle n'est jamais contente de mon travail.
8. Elle a un bon diplôme. Je trouve qu'elle n'est pas compétente pour ce poste.

Choisissez l'un des deux sujets et écrivez un texte pour donner votre opinion. Utilisez les mots nécessaires pour organiser et articuler votre texte.

1. Les entreprises commerciales et la publicité nous obligent à consommer toujours plus. Est-ce vrai ? Sommes-nous des marionnettes de l'économie ?
2. Un proverbe français dit « Les voyages forment la jeunesse. » Qu'en pensez-vous ?

Vu sur Internet

Exprimer la surprise / approuver une opinion

**Livre de l'élève
pages 136 et 137**

Exercice 15

Écoutez et dites si les personnes expriment une surprise ou si elles approuvent une opinion.

	1	2	3	4	5	6
exprimer la surprise						
approuver une opinion						

Exercice 16

Complétez les situations avec une phrase qui exprime la surprise ou qui approuve l'opinion.

1. – Caroline va partir enseigner le français en Guyane.

– _

2. – Oh là là, c'est beaucoup plus cher ici !

– _

3. – Tu vas pouvoir m'aider, non ?

– _

4. – Moi, je trouve qu'elle exagère !

– _

5. – Céline et Martial vont se marier.

– _

6. – Mais tu auras bien un peu de temps pour un petit dîner au restaurant avec moi ?

– _

Exercice 17

Écrivez un minidialogue avec chacune de ces phrases.

Je n'en reviens pas !

_ _

_ _

Sans aucun doute !

_ _

_ _

phonétique

[j] (hier) / [ɥ] (lui, buée) / [w] (Louis)

**Livre de l'élève
page 137**

Exercice 18

Écoutez et entourez le mot que vous entendez.

1. nuage - nouage

2. muette - mouette

3. lui - Louis

4. enfui - enfoui

5. puer - pied

6. juin - Gien

7. suer - scier

8. nuée - nier

a) Écoutez et complétez les mots avec « u » ou « ou ».

1. Je ne s _ _ is pas pers _ _ adé.

2. N'oublie pas ta b _ _ ée !

3. Il ne l'a pas t _ _ é ?

4. Il a l' _ _ ïe très développée.

5. Tes lunettes sont dans l'ét _ _ i.

6. C'est notre s _ _ hait le plus cher.

7. Vous voulez bien me s _ _ ivre ?

8. Tu as vu cette n _ _ ée de moustiques ?

b) Écoutez et complétez les mots avec « i » ou « u ».

1. Il l'a ép _ _ é toute la journée.

2. Ass _ _ eds-toi.

3. Achète un poisson ent _ _ er !

4. Ils ont p _ _ llé la banque.

5. Ce n'est pas le t _ _ en ?

6. On voit sa l _ _ ette.

7. Ça p _ _ ait.

8. Ramasse ces m _ _ ettes, s'il te plaît.

E x e r c i c e 20

Écoutez et cochez la case qui convient.

	1	2	3	4	5	6	7	8
[j]								
[ɥ]								
[w]								

La folie des soldes

Livre de l'élève
pages 138 et 139

E x e r c i c e 21

Écoutez et cochez la réponse qui convient.

1. Comment s'appelle l'amie qu'Anne et Marie rencontrent ?
   ❑ Marie ❑ Victoria ❑ Albertina ❑ Camille ❑ Virginie

2. Qu'est-ce que cette amie a acheté pour 42 euros ?
   ❑ un pantalon ❑ un pantalon et un haut ❑ une jupe ❑ une jupe et un haut

3. Qu'est-ce qu'Anne a acheté ?
   ❑ des chaussettes ❑ un pantalon ❑ une jupe ❑ rien

4. Que cherche Anne ?
   ❑ un pantalon noir ❑ une jupe noire ❑ une jupe et des chaussettes ❑ un ensemble

5. Pour qui Marie a-t-elle fait des achats ?
   ❑ pour elle ❑ pour Anne ❑ pour son mari et sa fille ❑ pour personne

6. Qui aura de nouvelles chaussettes ?
   ❑ Marie ❑ Anne ❑ le mari de Marie ❑ la fille d'Anne

7. Chez qui Virginie conseille-t-elle d'aller ?
   ❑ chez Cannelle et Albertina ❑ chez Vanille et Albertina ❑ chez Albertina et Victoria

8. À qui Virginie va-t-elle téléphoner le soir ?
   ❑ à son mari ❑ à Anne ❑ à Marie et Anne ❑ à Marie

Transcriptions

Echanger des opinions, juger

Unité 1 : Au quotidien

Exercice 17 - page 87

1. centime	6. retrouver
2. couloir	7. souhait
3. document	8. tranquille
4. environ	9. voiture
5. excuser	

Exercice 21 - page 21
1. Comment s'appelle le vôtre ?
2. Non, ce n'est pas le mien.
3. Vous avez déjà vu les leurs ?
4. Il va vous donner la sienne.
5. Oui, oui, prenez les nôtres.
6. Tu peux me montrer les tiennes ?

Unité 2 : L'amour de l'art

Exercice 4 - page 15
1. – Il te plaît ce tableau de Picasso ?
   – Bah... On comprend pas trop ce qu'il veut dire...
   – Et alors, c'est grave ? Moi ça ne me gêne pas du tout et j'apprécie l'harmonie des couleurs et la profondeur de l'œuvre. Pas toi ?
   – Bof...
2. – Alors, ça t'a plu ?
   – C'est une musique un peu étrange mais c'est pas mal. Et toi, qu'est-ce que tu en as pensé ?
   – Alors moi, je ne supporte pas ce genre de spectacle !

Exercice 6 - page 15
1. Alors Bénédicte, qu'est-ce que tu as pensé de cette exposition au Château de Beaulieu ?
2. Vous croyez que c'est un film amusant ?
3. Tu l'as trouvé comment, ce cédé ?
4. Et toi, petite fille, ça t'a plu les animaux sauvages ?
5. Qu'est-ce que tu penses de cette pièce de théâtre ?
6. Tu as bien aimé le roman policier que je t'ai prêté ?

Exercice 9 - page 16
1. – Oh ! Marco ! Salut.
   – Salut Marine !
   – Tu as aimé ce film ?
   – Oui mais j'ai trouvé que c'était un peu long, pas toi ?
2. – Au fait, Christian, qu'est-ce que vous avez pensé du concert d'Elton John à Bercy ?
   – J'ai vraiment adoré ce spectacle. C'était génial. Et vous, Marie, votre avis ?
   – Ouais... Bof... Je ne suis pas tout à fait d'accord.
3. – Monique, tu crois qu'il est intéressant le dernier film de Chantal Ackerman ?

– Alors moi, mon cher Bruno, je ne supporte pas ce genre de cinéma, alors...

Exercice 18 - page 19
1. Je voudrais tant qu'il se souvienne de ces bons moments.
2. On sait que Pierre vient demain.
3. Passez votre commande 48 heures à l'avance afin qu'on puisse mieux vous servir.
4. Je t'ai offert une jolie chemise pour que tu la mettes de temps en temps.
5. Je ne crois pas que mon frère parte très tôt demain matin.
6. Il faudrait que tu viennes avec nous en Bretagne.

Exercice 24 - page 22
1. C'est un paon.
2. Tu as fait un don ?
3. Où est le pont ?
4. Mais qu'est-ce qu'ils font ?
5. C'est quand ?
6. C'est du plomb ?
7. Vous avez un plan ?
8. Mais non ! Arrêtons !

Exercice 25 - page 22
1. Il est marrant, ce tapis.
2. Il adore sa compagne.
3. Tu préfères le bain ou la douche ?
4. Quel ton froid !
5. Attends maman.
6. Il adore sa campagne.
7. Il est marron, ce tapis.
8. Assieds-toi sur ce banc.
9. Attends-moi devant ce café.
10. Viens demain matin.

Exercice 26 - page 22
1. Tu n'aimes pas le pain ?
2. Regarde ma main.
3. Moi j'adore le vin.
4. C'est très important.
5. Tu t'es trompé.
6. Ça va durer cent minutes.
7. Ils s'en vont.
8. Mettez-vous en rond !

Unité 3 : Toujours plus !

Exercice 1 - page 24
1. Mon linge est si doux... il sent si bon... que je ne peux plus m'en passer !
2. Encore plus de lecture et d'information pour seulement 52 € par an !
3. Hum... plus de goût et moins de sucre. Alors pourquoi résister ?
4. Image parfaite, son numérique irréprochable. De belles soirées à savourer en famille ou entre amis...
5. Les plus belles destinations aux meilleurs prix. Alors pourquoi hésiter ? Faites vos valises !

Exercice 6 - page 26
1. Oui. Ils sont jumeaux et ils se ressemblent mais Louis est beaucoup plus petit que sa sœur.
2. Les Prunier ne sont pas aussi riches que les Dubois. Ils ne peuvent pas partir en voyage ensemble.
3. Son père ne travaille pas autant que sa mère mais ils ne sont pas souvent à la maison.
4. Colette a perdu ; elle a couru un peu moins vite que Marion.
5. Elle dort moins que l'année dernière parce qu'elle a plus de travail.
6. Je n'ai pas choisi la jaune parce qu'elle était plus chère. La rouge est bien aussi, non ?

Exercice 17 - page 30

1. édition	5. madame
2. camarade	6. étude
3. douter	7. altitude
4. entendu	8. redouter

Exercice 18 - page 31
1. J'ai vraiment des doutes.
2. Élodie a terminé ses études de droit.
3. Il n'est pas interdit d'utiliser les téléphones portables.
4. Donnez-moi une boîte d'allumettes, s'il vous plaît.
5. Il n'est jamais trop tard pour bien faire.
6. Entendu. Je relis ton texte avant demain.

Exercice 22 - page 32
1. – Je vais certainement recevoir une carte d'anniversaire aujourd'hui.
   – Le courrier est déjà arrivé mais il n'y a rien pour toi.
2. – Tu as vu le nouveau théâtre ?
   – Pas encore mais je vais voir une pièce de Tchékhov le 12 mars.
3. – Tu n'habites certainement plus rue Jules Charpentier ?
   – Bah ! Si, j'y habite encore.
4. – Tu vas toujours à la piscine le samedi ?
   – J'y vais toujours mais je n'y vais plus le samedi mais le dimanche matin.

MODULE 2
Situer des événements dans le temps

Unité 4 : Le Tour du monde en 80 Jours

Exercice 14 - page 38
1. Écoute la chanson qu'on a apprise.
2. Ah, non ! Cette fenêtre ! Qui est-ce qui l'a ouverte ?
3. Tu as lu l'article que Bénédicte a écrit ?
4. Oui, malheureusement, on l'a détruit l'année dernière.
5. Non, je ne les trouve pas ! Où est-ce que tu les as mises ?

6. On me l'a offerte pour mon anniversaire.
7. Qui est-ce qui les a faites ?
8. On l'a rejoint près du lac.

Exercice 23 - page 41
1. Cela m'a étonné.
2. Il me racontait tout.
3. Maria rangeait les boîtes.
4. Il s'est senti mal.
5. On l'a rencontré le matin.
6. Je repassais ta chemise.
7. Elle s'est trompée.
8. Le prix des maisons diminuait.

Unité 5 : Ici et ailleurs

Exercice 6 - page 46
Mes mains tremblaient. J'ai prononcé « Maman » doucement, pour ne pas déranger Thomas qui avait fini par s'endormir. Une seconde après, elle était là, debout près de moi, ma vraie maman, ses cheveux blonds, son parfum de savon, son sourire de petite fille, les yeux plissés et la main ouverte, toujours prête à caresser ma joue.
On se regardait, regardait, à se faire mal, sans rien dire. C'était à moi de parler mais je ne pouvais pas. Je n'avais pas encore retrouvé mes mots. Je n'étais pas encore guérie de la tempête.
Maman est restée si peu de temps, à la lumière de la lune. J'avais un œil sur ma montre fluorescente et l'autre sur ma mère. Ça dure si peu, sept minutes. Et elle s'en est allée, avec un geste du bout des doigts, au revoir. Emportant avec elle le sanglot. Maman est comme ça, elle m'enlève mes sanglots.

Exercice 17 - page 51
1. Viens avec nous, Véronique.
2. Il faut que je fasse cette lettre.
3. Il est complètement fou, Fernand !
4. C'est ma nouvelle voiture.
5. Finalement, j'ai refusé son offre.
6. Il sera là fin février.
7. Je vous ai envoyé cette lettre vendredi.
8. Il faut faire un petit effort.

Exercice 18 - page 51
1. Valérie est une fille formidable.
2. Je viens voir la famille Filion.
3. Ophélie est une vraie sportive.
4. Les enfants arriveront vers vingt heures.
5. Enfin, elle est venue me voir à Fontainebleau.
6. Fabienne va faire un cadeau à Philippe pour son anniversaire.

Exercice 19 - page 51
1. Une vilaine fille.
2. Des efforts vains.
3. Une nouvelle formule.
4. Une vraie difficulté.
5. Un enfant vietnamien.

6. Des forces vives.
7. Un vent fou.
8. Une découverte effroyable.

Exercice 22 - page 52
1. Ça me réjouit de savoir que mes cousins arrivent dimanche !
2. Je m'indigne contre ces hommes politiques qui ne disent jamais la vérité.
3. J'en ai assez que tu ne ranges jamais ta chambre, Antoine !
4. Oh eh, ça suffit. Vous pouvez aller fumer dehors, s'il vous plaît ?
5. On est vraiment content que vous ne soyez plus malade.
6. Du champagne Bollinger ! Comme je suis content ! Merci !

Exercice 24 - page 53
– Qu'est-ce qui se passe ? Qu'est-ce qui ne va pas ?
– Il se passe que j'en ai marre de vivre ici. Ça fait dix ans qu'on vit dans cette ville pourrie, avec ce climat pourri ! Il y a dix ans, quand on s'est mariés, tu m'avais dit : – On ne restera pas longtemps, deux ans, trois ans maximum, et on retourne dans le sud. J'en ai assez d'être ici !
– Mais tu sais bien, mon travail...
– Ah, non ! Ne me parle pas de ton travail ! C'est insupportable ! Il n'y a que ça qui compte, ton travail, ton travail !
– Mais qu'est-ce que tu veux, à la fin ?
– Ce que je veux ? Je veux qu'on parte d'ici, qu'on retrouve le soleil, qu'on ait une belle maison, qu'on puisse voir ma famille, voilà ce que je veux !
– Bon, on va voir ce qu'on peut...
– Non, mais tu ne comprends pas ! Je ne veux pas qu'on discute ! Je ne veux pas qu'on étudie la situation ! Je veux partir ! Partir ! C'est pourtant clair, non ?
– Parce que tu crois que c'est facile ?
– Oui, c'est facile ! Parfaitement, c'est facile ! Mais, toi, tu... Ah, j'en ai marre !

Unité 6 : Projets

Exercice 5 - page 55
1. – Mais, euh..., je ne sais pas, mais, vous ne trouvez pas que votre projet est, euh, un peu, comment dire, trop grand, trop ambitieux ?
– Non, non, pas du tout. Vous savez, il faut voir grand quand on a pour objectif de devenir le numéro 1 sur le marché français.
2. – Euh, bonjour, c'est Nathalie Février, j'ai reçu une lettre de vos services au sujet de mon inscription.
– Oui, vous avez les références de la lettre, s'il vous plaît.
– Oui, euh... HM-042-05-NF
– Alors, oui, il faudrait nous renvoyer une attestation de votre employeur afin que nous puissions vous inscrire en formation continue.

– C'est tout ?
– C'est tout !
3. – Ah bon, vous voulez partir ?
– Oui, on en a un peu marre d'être ici. Et côté boulot, ce n'est pas génial. Alors, on envisage d'aller en Amérique centrale ou dans les Caraïbes pour ouvrir un hôtel ou quelque chose comme ça...
– Ah ! bon ?
– Mais ce n'est pas pour tout de suite, dans deux ans peut-être.
4. – Marta a téléphoné aujourd'hui. Elle va venir en France le mois prochain et elle passe nous voir.
– Bien, et elle reste combien de temps ?
– Oh, pas longtemps, ici, deux, trois jours. Elle a prévu d'aller aussi à Lyon et Aix-en-Provence pour voir d'autres amis.
– Oh, bah, deux trois jours, c'est bien.
5. – Et donc, on va faire quelques modifications. On va détruire le mur, là, et puis on va agrandir la terrasse de façon à avoir suffisamment d'espace quand on mange dehors.
– Ah ! Effectivement, ça sera bien. Mais l'arbre, là, vous le coupez ?
– Non, non, on le garde.
6. Un accident dramatique à Cagnes-sur-Mer : un enfant de 4 ans est mort noyé après être tombé dans une piscine privée. La réglementation impose un système de protection de façon à ce que de tels accidents ne se produisent pas, mais la piscine n'en était pas équipée. Un reportage de Rachid Kerouffi.

Exercice 9 - page 56
1. – Et moi, je vais prendre une sole au beurre blanc.
– Ah, excusez-moi, mais nous n'avons pas de poisson aujourd'hui, je suis désolé, vraiment. Mais je peux vous proposer notre canard aux fruits rouges, avec des légumes de saison.
-- Hum ! D'accord. Un canard alors.
– Oui, très bien. Et que voulez-vous boire ?
2. – Ah, non, je suis désolé, je n'ai pas de chambre au nom de Sarraute.
– Non, ce n'est pas possible. Vous vous trompez ! Annie Sarraute. S.A, deux R...
– Non, je suis désolé.
– Mais, enfin, c'est incroyable, j'ai réservé par téléphone la semaine dernière !
3. – Ah, tu tombes bien. Le voyage à Bratislava est annulé.
– Comment ça, annulé ?
– Hé, oui, un problème de dernière minute, la directrice t'expliquera.
– Pufff ! J'avais modifié tout mon emploi du temps pour ce voyage. Je suis vraiment déçue. Et je pars quand alors ?
– Alors, là... Vois ça avec la directrice !

4. – Allo ?

– Madame Lambert ?

– Oui.

– Audrey Vigot, de la société Domélec. Je vous appelle parce que notre technicien ne pourra pas venir lundi comme prévu.

– Ah, bon ?

– Non, je suis navré. Mais il pourrait passer mardi, si c'est possible pour vous.

– Ah, bah, en fait, c'est même mieux. Lundi, c'était difficile pour moi aussi.

– Ah, parfait.

5. – Et pour quand est-ce que vous voulez votre rendez-vous ?

– Euh, je ne sais pas. Le plus tôt sera le mieux. En début de semaine prochaine par exemple, lundi ou mardi.

– Ah là, je vous arrête tout de suite, je n'ai rien de libre avant le mois prochain.

– Quoi ? Il faut que j'attende trois semaines ? Ce n'est pas possible !

– Si, hélas. Je peux vous proposer le jeudi 3 février ou le mardi 8.

– Ah, non, non, c'est beaucoup trop tard. Comment vous pouvez faire attendre les gens aussi longtemps. C'est scandaleux !

– Je sais bien, monsieur, je suis bien d'accord.

– Vraiment, ce n'est pas normal !

6. – Non, monsieur, il faut faire la queue.

– Mais, j'ai une carte musées et monuments, je n'ai pas besoin de faire la queue.

– Oui, normalement c'est comme ça, mais ici on n'a qu'une entrée et tout le monde doit faire la queue.

– C'est lamentable ! À quoi ça sert d'avoir une carte alors ?

– Allez ! Dans 20 minutes, vous serez rentré.

Exercice 12 - page 57

1. chouette	5. prochain
2. laisser	6. sentier
3. marché	7. souci
4. police	8. vache

Exercice 13 - page 57

1. Il va venir dimanche.
2. Lucie habite rue Célestin Port.
3. Oui, oui, chacun en aura un.
4. Je n'y avais pas songé.
5. Le camion est chargé ?
6. Le prochain train part dans une heure.
7. Ils exigent plus de contrôles.
8. Elle n'est pas aussi riche qu'on le dit.

MODULE 3
Expliquer, se justifier

Unité 7 : Savoir-vivre

Exercice 8 - page 64

1. Merci de ne pas faire trop de bruit ce soir après 22 heures.
2. Ne prends pas de photos dans cette salle du musée ; c'est interdit.
3. Attachez les ceintures, c'est obligatoire.
4. Veuillez rappeler notre société quand vous rentrerez, s'il vous plaît.
5. Je veux absolument que tout le monde soit là à 9 heures.
6. Ce n'est pas gentil. Tu ne dois pas parler comme ça !

Exercices 10 et 11 - page 65

– J'aimerais beaucoup que mon frère Joël soit là pour mes 40 ans.

– Mais, il va venir, non ?

– Je ne sais pas encore. Il vit au Kenya et je ne crois pas qu'il puisse venir en France seulement pour ça. Il est déjà venu en mars pour le mariage de notre sœur Isabelle.

– C'est ton frère jumeau ! Ça serait vraiment dommage qu'il ne soit pas avec toi pour cette fête.

– C'est vrai, j'espère... Mais je suis heureuse que maman aille mieux et puisse être là.

– Oui, c'est bien mais je suis surpris que tu ne parles pas de ton père. Il ne viendra pas ?

– J'ai très envie qu'il vienne mais tu sais, comme il ne vit plus avec maman, ils ne sont jamais très contents de se revoir...

– D'accord, mais pour tes 40 ans, quand même !

– Bah oui, je souhaite qu'ils viennent tous les deux, mais on verra bien !

Exercice 15 - page 68

1. J'aimerais vraiment que Marine ait son examen !
2. Je sais que Martin vient avec sa femme et ses deux enfants.
3. Pierre ne croit pas qu'on puisse prendre la rue Rabelais.
4. Je suis content que tu me dises la vérité.
5. J'ai peur que vous soyez en retard.
6. Il faudrait que nous comprenions mieux la situation.
7. J'espère qu'elle est contente de son cadeau d'anniversaire.
8. Je suis un peu triste qu'il parte demain matin.

Exercice 20 - page 70

1. campagne	5. ignorer
2. regagner	6. cogne
3. cagnotte	7. montagne
4. gnon	8. dépeigne

Exercice 21 - page 71

1. Virginie a cogné.
2. Éteignez les lampions.
3. La reine règnera.
4. Laissez les araignées !
5. Champagne ou martini ?
6. Annie est magnifique.
7. Une bonne châtaigne.
8. Elle est digne.

Unité 8 : Sans voiture

Exercice 5 - page 74

1. – Excusez-moi... Pardon... Excusez-moi...

– Bah, il ne faut pas vous gêner !

– Pardon ? Ah, je suis désolé, mais ma fille ne voyait rien derrière !

– Papa, regarde, papa !

– Bah, et nous alors ? Il fallait arriver plus tôt ! Moi, ça fait plus d'une heure que je suis ici !

– Oui, je sais bien, mais...

– Franchement, vous ne manquez pas d'air !

2. – Buon giorno ! Français ? Deutsch ? Español ?

– Ah, mais, laissez-nous enfin !

– Mais, ça ne va pas ?

– Quoi ?

– Bah, tu exagères ! Tu as vu comment tu lui as parlé ?

– Mais quoi ?

– Tu n'as pas besoin d'être aussi agressif ! On est en vacances, non ? Tu n'as pas besoin d'être désagréable avec tout le monde !

– Ah, mais, il m'énervait ce type !

3. – Comment ça, il manque des documents ?

– Oui, monsieur, je suis désolée, vous n'avez pas apporté l'attestation de votre employeur.

– Mais, je l'ai déjà apportée la dernière fois !

– Oui, mais la dernière fois, il manquait d'autres documents et je n'ai pas pu...

– Ah, c'est toujours pareil dans l'administration, il manque toujours quelque chose.

– Excusez-moi, monsieur, mais vous avez une liste de documents et si vous n'êtes pas en mesure...

– Oui, bon, ça va, je vais revenir.

– Très bien. Et lisez bien la liste ! Au revoir, monsieur !

Exercice 10 - page 75

1. Tous vos frais de voyage seront payés par l'entreprise.
2. Elles sont allées à Vilnius en train.
3. L'ordinateur s'est arrêté tout seul, tout à coup.
4. Votre demande n'a pas été acceptée.
5. Le téléphone a sonné toute la matinée.
6. L'identité de chaque passager a été vérifiée deux fois.

7. Tout s'est passé très vite.
8. Une chambre a été réservée à mon nom, Étienne Augureau.

Exercice 17 - page 77

1. Ils sont six.
2. Oh, il fait chaud !
3. Un verre d'eau fraîche ?
4. Tu ne l'as pas prise ?
5. Tu vas tout ranger ?
6. Il y a beaucoup de mouches.
7. Le refuge n'est pas loin.
8. Il y en a treize.
9. Elle est fragile !

Unité 9 : Un monde solidaire

Exercice 1 - page 81

1. Tous les jours, les chercheurs travaillent pour mettre au point de nouveaux vaccins, combattre les maladies graves ou moins graves et ils ont besoin de l'aide du public.
2. On peut parrainer un enfant, c'est-à-dire assurer la santé et l'éducation d'un enfant vivant dans un pays pauvre d'Asie, d'Afrique ou d'Amérique latine.
3. Pour réussir, il faut soutenir la recherche, aider les malades et aussi prévenir et dépister cette maladie car, plus on la soigne tôt, plus on a des chances de guérir.
4. C'est un travail extraordinaire de technique, de rapidité et surtout de générosité. Ils ne réclament pas du tout d'argent et ils travaillent des heures et des heures pour opérer des enfants très malades.

Exercice 7 - page 83

1. Ça vous dirait qu'on aille voir Marie et Alfredo ?
2. Claude devrait rester calme et ne pas s'inquiéter.
3. Les examens seraient avancés d'une semaine.
4. Vous pourriez fermer les fenêtres de la salle avant de sortir ?
5. Ça me ferait très plaisir de retourner en Égypte.
6. Tu voudrais bien m'aider à porter mes sacs ?
7. Je crois que ce serait bien que je change d'université.
8. Ils ne devraient pas manger tout ce chocolat ; ils vont être malades.

Exercice 14 - page 86

1. C'est génial, ma copine panaméenne arrive demain en France !
2. C'est dommage qu'il n'y ait pas eu plus de monde au concert.
3. Ça me fait vraiment mal de voir ça.
4. Ça me réjouit d'apprendre cette nouvelle.
5. J'ai vu les images de l'accident à la télé ; c'était difficile à supporter.
6. On ne peut pas accepter ces choses-là.

Exercice 17 - page 87

1. Non, je ne pourrai pas venir en France pour ton mariage. Je suis désolée.
2. Ma fille a échoué au bac et elle ne pourra pas aller à l'université.
3. Pourquoi est-ce que vous ne voulez jamais aller dans des pays pauvres ?
4. On a passé de très mauvaises vacances ; il faisait mauvais et toutes les visites ont été annulées.

Exercice 18 - page 87

1. collègue
2. magnifique
3. queue
4. bouquiniste
5. gigantesque
6. laque
7. fabrique
8. recommander

Exercice 19 - page 87

1. une grande copine
2. ma casquette grise
3. collier ou bague ?
4. des gants confortables
5. un magasin clair
6. un gros câlin
7. un goût particulier
8. des gamins magnifiques

Exercice 20 - page 87

1. J'adore les amandes grillées.
2. Combien ils coûtent ces fruits ?
3. On a tous crié.
4. Il va à la gare.
5. Tu as goûté ces fruits ?
6. Il est interdit de quêter.
7. Tu prends le train ou le car ?
8. Je vais vous guetter.

MODULE 4
Argumenter

Unité 10 : Modes et marques

Exercice 3 - page 90

1.
– Mais pourquoi tu veux qu'on parte à 5 heures du matin ?
– Si on part très tôt, il n'y aura pas de voitures sur la route, ce sera moins dangereux et on arrivera plus vite.
– D'accord, mais quand même... 5 heures... puufff !
2.
– Oui, mais celui-ci est quand même un peu plus cher...
– Oui, c'est vrai. Mais sincèrement... Là, vous avez une bonne machine. Le moteur est plus puissant, le programmateur est plus performant, le rapport qualité prix est bien meilleur, c'est pour ça que je vous conseille ce lave-linge.
3.
– Oh là là, c'est quoi tous ces médicaments ? Tu emportes toute une pharmacie !
– Non... Je prends tout ça parce que, là-bas, c'est très difficile de trouver des médicaments. J'ai pris les trucs de base : aspirine, paracétamol, antiseptique...
4.
– Elle est trop grande cette veste !
– Mais, non, elle te va bien. C'est la mode ! C'est un style, euh, explorateur...
– Je n'aime pas toutes ces poches... Il y en a partout.
– Mais, oui, c'est bien, c'est le style. Les poches, c'est bien, ça permet de mettre ton portable, là, ton passeport, ton argent, un stylo...

Exercice 7 - page 92

1. – Oui, bah, tous mes copains, ils vont à la fête samedi, pourquoi moi, je ne peux pas...
– Écoute, nous en avons déjà parlé. Samedi, tu ne vas pas à la fête, tu viens avec nous.
– Pufff ! C'est lamentable ! Je ne peux jamais faire ce que je veux !
2. – Ah, je regrette, mais regardez, c'est écrit ici, en bas du contrat « Article 37 : pour tout remboursement, les frais... »
– Mais vous ne m'aviez pas dit ça ! C'est une honte ! Et c'est écrit en tout petit !
– Oui, mais vous avez signé...
3. – Tout le monde connaît le passé de Monsieur Humeau et tout le monde sait que...
– C'est intolérable ! Vous ne pouvez pas dire des choses comme ça !
– Et tout le monde sait que Monsieur Humeau travaille aujourd'hui avec des...
– Je proteste contre ces affirmations gratuites ! C'est inadmissible !
– Allons, un peu de calme !

Unité 11 : Vie active

Exercice 11 - page 102

1. – Allo ?
– Allo, c'est Pauline ?
– Oui... Bonjour.
– Salut, c'est Guillaume. Julien est là, s'il te plaît ?
– Ah ! non, il est parti à la fête de la musique avec des copains.
– Mince, je voulais justement lui proposer qu'on y aille ensemble...
2. – Bonjour. Louis Legrand, société Euroloisirs.
– Bonjour Monsieur.
– J'aimerais parler au directeur commercial, s'il vous plaît.
– Oui. C'est à quel sujet ?
– C'est au sujet de l'organisation du voyage au Pérou.
– Ne quittez pas, je vous passe Monsieur Chapelle.

3. – Allo ?
– Tempo Productions, j'écoute.
– Bonjour Madame. Pourriez-vous me passer Madame Durupt, s'il vous plaît ? Je devais la rappeler pour fixer une date de réunion.
– Ah... Madame Durupt n'est pas là ce matin. Elle sera là cet après-midi. Vous pouvez rappeler ?
– Oui, pas de problème, je rappellerai vers 14 heures. Merci !
– Au revoir, Monsieur.

Exercice 15 - page 104
1. Il n'est pas retourné au Maroc depuis 1990.
2. On vous a envoyé une carte postale il y a trois semaines environ.
3. J'ai changé d'appartement depuis un mois.
4. Ils ont beaucoup réfléchi à cette question depuis un mois.
5. J'attends le bus depuis déjà 25 minutes !
6. Depuis le départ de son fils, il attendait désespérément des nouvelles...

Exercice 19 - page 106
1. Il ne sait pas ce qu'il veut faire ; il n'a pas de but dans la vie.
2. J'ai visité le joli port de La Rochelle.
3. Qu'est-ce que tu as fait ? Tu es tombé ? Tu as du sang sur le genou.
4. Regarde le joli pantalon vert. Pas mal, non ?
5. On pourrait s'arrêter et manger dans ce pré ?
6. Je ne sais plus si tu es née en avril ou en mai.
7. Bertrand Delanoë ? Tu ne sais pas qui c'est ? C'est le maire de Paris.
8. Passe-moi le sel, s'il te plaît.

Unité 12 : Abus de consommation

Exercice 9 - page 111
1. Il faut faire vite parce qu'on a pris beaucoup de retard.
2. Comme je ne connais pas la ville, j'ai peur de me perdre.

3. Tu pourrais peut-être m'aider puisque tu as du temps.
4. Étant donné que personne ne dit la même chose, on ne saura jamais ce qui s'est vraiment passé.

Exercice 10 - page 111
1. Mon train est arrivé avec deux heures de retard, si bien que j'ai manqué l'avion.
2. Les rues du centre ville seront fermées à la circulation automobile en raison de la fête de la musique.
3. Grâce à de nouvelles machines, les opérations de contrôle de la qualité sont plus rapides et plus efficaces.
4. Pourrais-tu m'attendre deux minutes afin que je voie un dernier petit problème avec toi ?
5. Ce sont les supermarchés qui fixent les prix, c'est pourquoi les producteurs de fruits ont beaucoup de mal à faire des bénéfices.
6. Non, vraiment, le 17, je ne peux pas du tout. En revanche, le 18, je suis libre toute la journée.
7. Qu'est ce que je peux lui dire pour qu'il comprenne la situation ?
8. J'ai beau travailler 12 heures par jour, je n'arrive pas à tout faire.

Exercice 15 - page 113
1. – Tu sais quoi ? Hier, j'ai vu Léa, bras dessus bras dessous, avec un beau mec plutôt jeune.
– Léa ? Non, là, j'ai du mal à le croire.
2. – Nos méthodes de communication ne vont pas du tout. Il faut changer tout ça !
– Absolument, il nous faut des choses modernes, jeunes...
3. – Tu crois pas qu'on devrait repeindre le salon, mettre plus de couleurs ?
– Je suis entièrement d'accord ! C'est moche ce bleu clair !
4. – Jean-Noël veut trouver un autre travail, il veut quitter son entreprise !
– C'est surprenant. Il a un bon poste, et je pensais qu'il était content de son travail.
5. – Mais, mais, si, le gouvernement, il pensait moins aux élections et qu'il

s'occupait plus des problèmes économiques, ça irait mieux.
– Là, pas de doutes ! Il n'y a que les élections qui comptent !
6. – Ils sont allés le chercher en hélicoptère !
– Non, ce n'est pas vrai ?

Exercice 20 - page 114
1. Ils ont fait des fouilles.
2. Ma sœur arrivera en juin.
3. Ton frère est tatoué ?
4. Myriam est restée muette.
5. Il ne faut pas nier cette évidence.
6. Je n'arrive pas à nouer ce truc !
7. J'adore ma tante Éliette !
8. Il y a une fuite.

Exercice 21 - page 114
– Salut Virginie.
– Ah ! Salut les filles. Vous faites les soldes ?
– Bah ! oui, comme tout le monde... Toi aussi ?
– Bien sûr. Regardez ce que j'ai trouvé : la jupe longue et le petit haut qui va avec. Sympa, hein ?
– Ah ! oui, pas mal. C'était une affaire ?
– Plutôt, oui : 40 % sur l'ensemble. J'ai payé 42 €.
– Oui, intéressant... Tu as trouvé ça où ?
– Rue Nationale, chez *Vanille*. Et vous, vous avez trouvé des trucs ?
– Marie, oui, mais moi, rien.
– Qu'est-ce que tu as trouvé alors, Marie ?
– Juste des chaussettes pour mon mari et une petite jupe pour ma fille. Maintenant, on cherche un pantalon noir pour Anne. Tu n'en as pas vu ?
– Allez voir chez *Vanille*, il y a plein d'affaires à faire. Si vous ne trouvez pas, il y a aussi la boutique *Albertina* qui a toujours de très belles choses.
– Tu as raison, on va aller voir. On ira aussi chez *Victoria*. D'accord Marie ?
– Oui, allons-y ! Bonne continuation, Virginie.
– À vous aussi, faites de bonnes affaires ! Je t'appelle ce soir, Anne.
– D'accord, je te raconterai.

Corrigés

Unité 1 pages 4 à 13 : **Au quotidien**

Exercice 1

1. quotidien - 2. semestriel - 3. mensuel - 4. hebdomadaire

Exercice 2

1. **Il n'**y a pas de problème !
2. Non, je **ne** sais pas.
3. Tu as vu la lettre **qui** est arrivée ce matin ?
4. Je crois qu'**il** y a une erreur !
5. Non, **ce n'**est pas la mienne.

Exercice 3

Personne A
1. une bouteille d'eau - 2. une cuillère à café - 3. des fourchettes - 4. un couteau
Personne B
1. un verre de lait - 2. deux cuillères à soupe - 3. deux tomates - 4. une serviette

Exercice 4

1. Il fait le repassage. - 2. Elle fait les vitres. - 3. Elle fait la vaisselle. - 4. Il fait les courses. - 5. Il fait la cuisine. - 6. Elle fait le lit.

Exercice 5

1. ça m'inquiète - 2. répondeur - 3. dans l'évier - 4. plier - 5. cauchemar - 6. ranger

Exercice 6

1. reviennent - 2. n'entends pas - 3. pouvons ; voulez - 4. sent - 5. prenez - 6. connais - 7. n'a pas - 8. dis - 9. apprend - 10. j'achète

Exercice 7

1. n'avez pas compris - 2. j'ai reçu - 3. s'est déguisée - 4. êtes arrivée - 5. s'est assise - 6. n'ai pas eu besoin - 7. s'est amusée - 8. a descendu ; est tombé - 9. avons offert - 10. t'a plu

Exercice 8 : proposition de corrigé

Le matin, elle a passé l'aspirateur dans son appartement. Quand tout a été propre, elle est allée faire des courses au supermarché. Elle a acheté beaucoup de choses à manger pour la soirée. Elle est rentrée chez elle et elle a préparé une quiche, des gâteaux et beaucoup de bonnes choses. Le soir, tous ses amis sont venus chez elle. Ils ont dansé, ils ont mangé, ils se sont beaucoup amusés. Mais quand les invités sont partis, Elodie s'est assise dans un fauteuil très fatiguée. Elle a dû faire le ménage de nouveau.

Exercice 9

je / tu	il / elle / on	nous
repassais	repassait	repassions
pliais	*pliait*	pliions
allais	allait	*allions*
avais	avait	avions
étais	était	étions
venais	venait	venions
faisais	faisait	faisions
croyais	croyait	croyions

vous	ils / elles
repassiez	repassaient
pliiez	pliaient
alliez	allaient
aviez	avaient
étiez	*étaient*
veniez	venaient
faisiez	faisaient
croyiez	croyaient

Exercice 10

1. polluait - 2. connaissiez - 3. était - 4. attendaient - 5. pouvions - 6. apprenait - 7. s'ennuyaient - 8. attendait - 9. offrait - 10. aimait ; plaisait

Exercice 11 : proposition de corrigé

Il rentrait tard le soir, vers 23 heures.
Le soir, il sortait avec ses amis ou allait au cinéma.
Le week-end, il allait à la mer ou à la montagne.
Tous les soirs, des amis venaient chez lui.
Il faisait le ménage une fois par mois.
Il avait une vieille voiture et un vélo.
Il portait de vieux vêtements.

Exercice 12

nous partions - qui habitaient - On restait - J'aimais - Il y avait - je pouvais - Ils m'apprenaient - je ne connaissais pas

Exercice 13 : proposition de corrigé

En 1905, il n'y avait pas d'électricité et il n'y avait pas tous les appareils électriques que nous avons maintenant : pas de lampes, pas de frigo,... Il n'y avait pas de chauffage non plus, on faisait du feu dans la cheminée, mais en hiver les maisons étaient froides. Les voitures et les tracteurs n'existaient pas. On travaillait avec des chevaux et des bœufs. Les vêtements étaient très différents des vêtements d'aujourd'hui et les gens ne s'intéressaient pas beaucoup à la mode. On mangeait beaucoup de soupe, de légumes et de pain. Les repas changeaient à chaque saison : on mangeait des tomates seulement en été et des pommes en hiver.

Exercice 14 🎧
1. Un grand cri. - 2. Je l'ai ému. - 3. Regarde la mire. - 4. Elle aime les mûres. - 5. Voilà ma muse.

Exercice 15 🎧
1. Une grosse boule. - 2. Il est sûr. - 3. Au-dessus de la porte. - 4. Elle l'avoue ? - 5. C'est ma rue.

Exercice 16 🎧
1. bouche - 2. bulle - 3. doux - 4. écrit - 5. mule - 6. poule - 7. pire - 8. cure

Exercice 17 🎧

	1	2	3	4	5	6	7	8	9
[i]	X			X				X	
[y]			X		X				X
[u]		X				X	X		

Exercice 18 🎧
1. glisse - 2. louche - 3. but - 4. souffle - 5. foule - 6. livrez - 7. brume - 8. cul-de-sac - 9. épinards

Exercice 19
1. une tarte délicieuse - 2. mon nouvel ordinateur - 3. une bonne crêperie - 4. un vieil homme - 5. Ce garçon est complètement fou ! - 6. Non, cette veste est trop grande. - 7. une étudiante française

Exercice 20
1. une bonne amie - 2. des étudiantes intelligentes. - 3. un restaurant chinois. - 4. un nouvel appartement. - 5. trois vieilles cartes postales. - 6. d'autres exercices. - 7. le prochain train. - 8. une jolie fille. - 9. une histoire intéressante - 10. un nouvel album

Exercice 21 🎧
1. Votre chien. - 2. Mon portefeuille. - 3. Leurs photos. - 4. Sa carte. - 5. Nos places. - 6. Tes chaussures.

Exercice 22
1. les miens - 2. la vôtre - 3. le mien - 4. le tien - 5. la mienne - 6. le leur - 7. la nôtre - 8. les siens

Exercice 23
1. Mickey, Najah, Jojo. - 2. *Mistigri Torture, Tu vas pas mourir de rire, Live à Saint-Étienne.* - 3. *Respire.* - 4. Mickey. - 5. Du développement mondial, de la pollution et de l'exploitation des petits par les grands, des oiseaux, du silence, de la nuit, de la nature... - 6. Des festivals de musique.

Exercice 24

	1	2	3	4	5	6	7	8	9	10	11	12	13	14	15
a	S	E	M	E	S	T	R	I	E	L			M		D
b	A			U			D	U			C	E			R
c	C	A	F	A	R	D		E	X		B	o	N		A
d	H			R		E		A			A	R	S		P
e	E	V	I	E	R		P	L	U	S	I	E	U	R	S
f	T		N		O			E		A	G	E	E		
g		E	G	L	I	S	E		O		N		L	A	C
h		U			M		R		O						A
i		H	E	B	D	O	M	A	D	A	I	R	E		U
j	N	O	S					E		R		R	N		C
k		P		C	U	I	L	L	E	R	E		Q		H
l		D	I	R	A			E			U			U	E
m	E	T		F	O	U	R	C	H	E	T	T	E		M
n	S	A	L	E									T	V	A
o		L			A	S	P	I	R	A	T	E	U	R	

Unité 2 pages 14 à 23 : **L'amour de l'art**

Exercice 1
musée - œuvre - collection - culture

Exercice 2
1. Ah ! Je viens de prendre une bonne douche, ça fait du bien !
2. On vient de faire deux heures de football, on est crevés !
3. Nous venons de manger dans un petit restaurant très sympathique.
4. Ah ! bon ? Vous venez de voir Flora au jardin du Luxembourg ?
5. Nicolas ? Non, il n'est pas en vacances, je viens de le voir dans la rue !
6. C'est vrai ? Marie vient de t'appeler ?

Exercice 3
1. Non, je viens de la poster.
2. Ah ! oui, elle vient de partir.
3. Mais, je viens de me coiffer !
4. Oui, tu as de la chance, ils viennent de rentrer.
5. Encore ! Mais, je viens de te l'expliquer !

Exercice 4 🎧
Dialogue 1
Ils sont allés dans un musée.
La femme n'a pas aimé.
L'homme a aimé.

Corrigés

Dialogue 2
Ils sont allés à un concert.
La femme n'a pas aimé.
L'homme a aimé.

Exercice 5

Noms	Verbes
1. une sculpture	*sculpter*
2. *un enregistrement*	enregistrer
3. une peinture	*peindre*
4. *une coupure*	couper
5. une réflexion	*réfléchir*
6. une arrivée	*arriver*
7. *un départ*	partir
8. une proposition	*proposer*
9. *une réservation*	réserver
10. une invitation	*inviter*

Exercice 6 🎧
1. Alors Bénédicte, **qu'est-ce que tu as pensé de** cette exposition au Château de Beaulieu ?
2. **Vous croyez que** c'est un film amusant ?
3. **Tu l'as trouvé comment**, ce cédé ?
4. Et toi, petite fille, **ça t'a plu** les animaux sauvages ?
5. **Qu'est-ce que tu penses** de cette pièce de théâtre ?
6. **Tu as bien aimé** le roman policier que je t'ai prêté ?

Exercice 7
a.2. - b.4. - c.1. - d.6. - e.5. - f.3.

Exercice 8 : proposition de corrigé
1. Vous avez aimé le spectacle de Zingaro ?
2. Qu'avez-vous pensé du dernier film d'Alain Chabat ?
3. C'était bien, la fête de la musique ?
4. Tu crois que c'est une bonne idée de visiter les expositions de l'Institut du Monde arabe ?
5. Ça t'a plu cette balade en bateau ?

Exercice 9 🎧
1. Marine - 3. Marie - 4. Bruno
a. Christian - c. Monique - d. Marco

Exercice 10
1. As-tu regardé le film sur Arte hier soir ?
2. Pourriez-vous m'aider, s'il vous plaît ?
3. Ta sœur va-t-elle venir dîner avec nous ?
4. Quelle carte as-tu choisie ?
5. Combien cette voiture magnifique coûte-t-elle ?
6. Où allez-vous avec tous ces sacs ?
7. Alice connaissait-elle bien ta grand-mère ?
8. Louis et Anne ont-ils revu leur amie de Bombay ?

Exercice 11
1. Où Lise et Marc vont-ils cet été ?
2. Comment Maxime est-il parti ce matin ?
3. Quand passerez-vous nous voir ?
4. Pourquoi Louis ne pourra-t-il pas jouer samedi ?
5. Sylvie a-t-elle aimé le spectacle ?
6. À quelle heure serez-vous à la maison ?
7. Ah ! bon ? Quel pantalon as-tu choisi ?
8. Que vas-tu faire dimanche ? / Qu'allez-vous faire dimanche ?

Exercice 12
Phrases qui expriment le but → 3. ; 4. ; 5. ; 7.

Exercice 13
1.c. - 2.f. - 3.d. - 4.h. - 5.b. - 6.a. - 7.g. - 8.e.

Exercice 14
1. Vous devez partir un peu en vacances pour vous reposer.
2. Elle lui a donné son numéro de portable pour qu'il l'appelle quand il sera à Nice.
3. Je vous ai apporté quelques spécialités de ma région pour que vous les goûtiez.
4. Je vais prendre un taxi pour rentrer chez moi.
5. Antje et Frantz nous invitent samedi pour fêter leur anniversaire de mariage.
6. Je vais raccompagner Sophie jusque chez elle pour qu'elle ne soit pas seule et qu'elle n'ait pas peur.

Exercice 15
1. refassiez - 2. parte - 3. puisse - 4. sois - 5. comprenne - 6. reviennent - 7. ayons - 8. soit

Exercice 16

je / il / elle / on	tu	vous	ils / elles
mange	manges	mangiez	mangent
prenne	*prennes*	preniez	prennent
aie / ait	aies	*ayez*	aient
sois / soit	sois	soyez	*soient*
puisse	puisses	puissiez	puissent

Exercice 17
1. m'écoutiez - 2. dorme - 3. voyiez - 4. crois - 5. a - 6. parler - 7. prenne - 8. ait envie

Exercice 18 🎧
indicatif → 2. venir
subjonctif → 1. se souvenir ; 3. pouvoir ; 4. mettre ; 5. partir ; 6. venir

Exercice 19

1. Qu' - 2. Qui - 3. Qui - 4. Qu' - 5. Qui - 6. Qui

Exercice 20

1. Qu'est-ce **que** - 2. Qui est-ce **qui** - 3. Qu'est-ce **que** -
4. Qui est-ce **qui** - 5. Qui est-ce **qu'** - 6. Qui est-ce **qui**

Exercice 21

1. Qu'est-ce que - 2. Qui est-ce qui - 3. Qui est-ce que
4. Qu'est-ce qui - 5. Qui est-ce qui - 6. Qu'est-ce que

Exercice 22

• Michel Dupuis - 32 ans - informaticien - La Source, près
d'Orléans - marié - aime lire et regarder la télévision -
déteste le sport et l'hiver
• Aurore Quentin - 25 ans - hôtesse d'accueil - Nice, en
centre ville - célibataire - aime bien ne rien faire - déteste
le bruit et la musique moderne
• Benoit Rastaing - 45 ans - agent commercial au
chômage - Paris, IIIᵉ - célibataire - aime l'art et le cinéma -
déteste la télévision
• Valérie Séchet - 19 ans - étudiante en sociologie -
Neuilly - célibataire - aime ses amis et dormir - déteste la
violence, la politique et les guerres

Exercice 23

1. Qui est-ce qui pourra (pourrait) conduire la voiture pour
rentrer d'Auxerre ?
2. Qu'est-ce que vous avez mangé ?
3. Qui est-ce que tu as (vous avez) vu chez tes (vos)
parents ?
4. Qu'est-ce que le directeur attend ?
5. Qui est-ce que Lise attend ?
6. Qu'est-ce que tu attends (vous attendez) ?
7. Qui est-ce qui attend l'été avec impatience ?
8. Qu'est-ce qui pèse 200 kg ?

Exercice 24 🎧

	1	2	3	4	5	6	7	8
[ɑ̃]	X				X		X	
[ɔ̃]		X	X	X		X		X

Exercice 25 🎧

	1	2	3	4	5	6	7	8	9	10
[ɛ̃]			X							X
[ɑ̃]	X				X	X		X	X	
[ɔ̃]		X		X			X			

Exercice 26 🎧

1. Tu n'aimes pas le pain ?
2. Regarde ~~maman~~ ma main.

3. Moi j'adore le ~~vent~~ vin.
4. C'est très important.
5. Tu t'es ~~trempé~~ trompé.
6. Ça va durer ~~cinq~~ cent minutes.
7. Il s'en ~~vend~~ vont.
8. Mettez-vous en ~~rang~~ rond !

Exercice 27 🎧

1. C'est **un** rom**an** vraim**ent** passonn**ant**.
2. Regarde, j'ai acheté une l**am**pe très marr**ante** !
3. Oui, **on** a **en**registré l'émissi**on** d'hier m**in**.
4. Dem**ain**, Marc passe ses premiers exam**ens**.
5. **En** all**ant** en directi**on** du p**on**t, j'ai r**en**con**tré** Louise et
Man**on**.
6. **En**suite, ils **son**t partis s**ans** ri**en** dire.
7. Il revi**en**dra d**ans** c**in**q mois **en**vir**on**.
8. Vivem**ent** dim**an**che ! **On** part **en** vac**an**ces à la c**am**pagne.

Exercice 28

1. 1870-1943 - 2. Nabis - 3. Maurice Denis - 4. peint en 1888
par Paul Sérusier - 5. d'autoportraits - 6. après Maurice
Denis - 7. ses yeux

Unité 3 pages 24 à 33 : Toujours plus !

Exercice 1 🎧

dialogue	1	2	3	4	5
document	c	e	b	a	d

Exercice 2

1.g. - 2.e. - 3.j. - 4.b. - 5.i.

Exercice 3 : proposition de corrigé

1. Avec les forfaits jeunes, on peut envoyer plus de textos
et on peut parler encore plus longtemps pour 20 € par
mois. (un opérateur de téléphonie mobile)
2. Son magnifique, très grand écran, la télé aux meilleures
conditions. (un téléviseur)
3. Hum... Des timbales de saumon Jeannette ! Vite, à
table ! (des plats préparés)
4. Plus de 50 destinations aux meilleurs prix. Réservez vite
votre voyage ! (une agence de voyages)

Exercice 4

1. bon marché - 2. délicieuses - 3. économique - 4. pratique -
5. agréable

Exercice 5 : proposition de corrigé

1. Moi j'utilise Cécidoux pour tout mon linge parce qu'il est
doux pour les petits et si frais pour les grands !
2. Avec les baskets Grand Balance, on court toujours plus
vite !

Corrigés

3. Avec le nouveau shampoing volumateur de Marnier, mes cheveux sont doux, brillants et quel volume !
4. C'est parce que je fais attention à ma santé que chaque jour je mange des produits bio.
5. Quand la fatigue m'envahit, je croque mon chocolat Sibon.
6. Chaque matin, je donne à mes enfants les céréales Crocky pour qu'ils soient en forme toute la journée !

Exercice 6
1. Faux. → Sa sœur est beaucoup plus grande que lui.
2. Faux. → Les Dubois ont plus d'argent que les Prunier.
3. Faux. → Sa mère travaille plus que son père.
4. Vrai.
5. Vrai.
6. Faux. → La jaune est plus chère.

Exercice 7
1. plus de / moins de - 2. aussi - 3. moins de - 4. autant ; aussi - 5. moins de - 6. autant de ; aussi - 7. plus de - 8. plus ; plus d'

Exercice 8 : proposition de corrigé
1. C'est beaucoup moins agréable de regarder un film à la télévision que de regarder un film au cinéma.
2. Le continent européen est moins grand que le continent américain.
3. La littérature est moins fatigante que le sport.
4. La ville est moins reposante que la campagne.
5. Gérard Depardieu est plus vieux que Johnny Depp.
6. Le jazz est aussi intéressant que le rap.
7. J'aime mieux dormir que travailler.
8. Une chaise est moins confortable qu'un canapé.

Exercice 9 : proposition de corrigé
Il y a plus d'habitants à Lille qu'à Montpellier.
Le climat est moins doux à Lille qu'à Montpellier.
Lille est moins loin de Paris que Montpellier.
En TGV, il faut plus de temps pour faire Montpellier-Paris que Lille-Paris.
Il y a moins d'étudiants à Montpellier qu'à Lille.
Les deux villes ont une vie culturelle aussi riche.
Lille et Montpellier semblent aussi intéressantes.

Exercice 10
1. la France - 2. Le Mont-Blanc - 3. La Chine - 4. Rome - 5. le tramway - 6. Lisbonne - 7. Johnny Hallyday - 8. Dijon

Exercice 11
1. le plus - 2. les - 3. le moins ; le plus - 4. les plus - 5. le moins ; le plus - 6. la plus ; la plus

Exercice 13
1. Pour moi, c'est le pays le plus beau du monde !
2. Je vous présente le plus petit cheval de l'écurie.
3. À mon avis, c'est le tableau le moins joli de l'artiste. (= le tableau de l'artiste le moins joli)
4. Les femmes les plus belles seront au défilé des grands couturiers.
5. Je ne l'aime pas ; c'est la voiture la moins bonne de cette marque. (= la voiture de cette marque la moins bonne)
6. Ce restaurant a la plus belle terrasse de la région.
7. Ce sont les bonbons les meilleurs que nous fabriquons.
8. C'est l'étudiant le plus vieux de notre classe. (= l'étudiant de notre classe le plus vieux)

Exercice 14 : proposition de corrigé
1. Quel est le train le plus rapide du monde ?
2. Quel pays est le plus peuplé du monde ?
3. Quel est le plat le plus aimé des Français ?
4. Quelle montagne est la plus haute de France ?
5. Quel est le fleuve le plus long de France ?
6. Quel musée parisien est le plus visité ?
7. Qui est le meilleur footballeur français ?
8. Quelle est la ville la plus jolie de France ?

Exercice 15
Philippe	Marie	Lucas	Laure	Éric	Patricia
49 ans	20 ans	21 ans	32 ans	22 ans	50 ans

Exercice 17
	1	2	3	4	5	6	7	8
début			X					
milieu	X				X			X
fin		X		X		X	X	

Exercice 18
1. → 1 fois - 2. → 2 fois - 3. → 4 fois - 4. → 2 fois - 5. → 2 fois - 6. → 4 fois

Exercice 19
1. un extrait de roman - 2. la publicité - 3. leurs rêves - 4. le monde de la publicité avance très vite. - 5. créer de nouvelles envies chez les consommateurs. - 6. malheureux

Exercice 20
1.b. - 2.f. - 3.a. - 4.d. - 5.c. - 6.e.

Exercice 21
1. Oui, je suis déjà allé à Paris. / Oui, j'y suis déjà allé.
2. Non, je ne l'ai plus.
3. Non, Paul / il ne va jamais chez Lucie / elle.

4. Non, je ne l'ai pas encore écrite.

5. Oui, ils y sont déjà allés.

6. Oui, je suis toujours / encore professeur de français.

Exercice 22 🎧

1. Le courrier est arrivé mais il n'y a pas de carte.

2. Il verra bientôt le nouveau théâtre. / Il n'a pas encore vu le nouveau théâtre.

3. Il habite toujours rue Jules Charpentier.

4. Elle va encore à la piscine.

Exercice 23

a)

a. Le fléau qu'est devenue la publicité → opinion de Fabien

b. Un monde de fous → opinion de Luce

c. Les qualités essentielles → opinion d'Alexandra

d. Pub, je t'aime... mais pour combien de temps encore ? → opinion de François.

b)

François → 1. ; 4. - Alexandra → 1. ; 2. - Fabien → 6. - Luce → 3. ; 5.

MODULE 2
Situer des événements dans le temps

Unité 4 pages 34 à 43 :
Le tour du monde en 80 jours

Exercice 1

1. croisé - 2. racontes - 3. rêve - 4. traversé - 5. commencé

Exercice 2 : proposition de corrigé

1. – Tu as vu, il y a « La Cocadrille » au théâtre. J'irais bien voir cette pièce.
   – Je peux aller avec toi ?
   – Évidemment ! Allez, on y va ce soir ?

2. –Tu as invité Thierry et Amandine ?
   – Oui, bien sûr.
   – Et ils vont venir ?
   – Non, malheureusement, ils ne sont pas libres ce jour-là.

Exercice 3

1. aussi - 2. non plus - 3. aussi - 4. non plus - 5. aussi - 6. aussi - 7. non plus - 8. non plus

Exercice 4 : proposition de corrigé

1. Elles coûtent le même prix.

2. Elles sont nées la même année. Elles ne sont pas nées le même jour.

3. Ils n'ont pas le même âge. Simon n'a pas le même âge que Valérie.

4. Ils arriveront le même jour. Ils arriveront dans la même ville, le même jour.

5. Elles n'ont pas fait les mêmes exercices.

6. Nous habitons dans la même rue. Nous n'habitons pas au même numéro.

7. Ma sœur et ma belle-sœur ont la même profession.

8. Ils ont les yeux de la même couleur. Vincent a les yeux de la même couleur que Nathalie.

Exercice 5

à vélo - à pied - en avion - en autocar - à cheval - en ballon - en train - en bateau

Exercice 6

1. est retournée - 2. n'ai pas compris ; avez dit - 3. as fait - 4. avez choisi - 5. ne l'ai pas vu - 6. t'a téléphoné - 7. sont venus - 8. sommes allé(e)s

Exercice 7

1. n'existaient - 2. savais ; habitait - 3. permettait - 4. faisait - 5. attendaient - 6. voulait - 7. devions - 8. voyait

Exercice 8 🎧

– il y avait ; qui faisait ; Il tenait

– J'étais ; je me suis arrêté ; j'étais ; j'ai fait ; il est monté ; C'était

– Il allait ; qui étudiait ; Il parlait

– Il était ; On a parlé ; j'ai pris ; je l'ai invité ; on est arrivés

Exercice 9

1. ne se sentait ; j'ai appelé - 2. était ; a demandé - 3. m'a dit ; est partie - 4. parlait ; est arrivée - 5. travaillait ; s'est arrêté - 6. ne pleuvait pas ; suis sorti(e) - 7. ont mangé ; sont allés - 8. n'a pas pu ; avait

Exercice 10 : proposition de corrigé

1. Cendrillon faisait toujours le ménage et la vaisselle. Elle était très triste.

2. Un jour, ses demi-sœurs ont reçu une invitation pour aller à un bal chez le roi. Elles étaient très contentes. Mais les demi-sœurs ne voulaient pas que Cendrillon aille au bal avec elles. De plus, Cendrillon n'avait pas de jolie robe.

5. Cendrillon était très heureuse. Elle a dansé avec le prince toute la soirée. Le prince est tombé amoureux de Cendrillon.

6. À minuit, Cendrillon est partie très vite du château. Elle n'a pas eu le temps de dire au revoir au prince. En sortant, elle a perdu une chaussure. Le prince était très triste. Il a demandé à ses serviteurs de chercher Cendrillon. Toutes les filles du pays devaient essayer la chaussure.

7. Les serviteurs sont venus chez Cendrillon. Les demi-sœurs ont essayé la chaussure, mais elles avaient de très gros pieds. Cendrillon a essayé la chaussure : c'était bien la sienne.

8. Le prince était très heureux d'avoir retrouvé Cendrillon. Il l'a emmenée dans son château. Ils se sont mariés et ils ont eu beaucoup d'enfants.

Exercice 11 : proposition de corrigé

Ce matin, M. Coulon s'est réveillé à 6 heures, comme tous les jours. Il savait qu'il avait beaucoup de travail au bureau. Depuis une semaine, il ne dormait pas beaucoup et il pensait toujours à tous ses problèmes. Il a pris une douche, il a pris son petit-déjeuner. Mais il pensait toujours à son travail : il ne fallait pas qu'il oublie d'envoyer un message au service des relations internationales, et puis il devait finir aussi le dossier Pulven. M. Coulon a pris son manteau et il a marché jusqu'à la station de métro. Il fallait qu'il téléphone à Martine Cochard avant midi. Dans le métro, les gens riaient beaucoup. M. Coulon ne savait pas pourquoi.

Exercice 12

1. l'ai accrochée - 2. l'a prévenue - 3. j'ai rencontrées - 4. a créées - 5. a racontées - 6. l'ai crue - 7. as repassée - 8. avez enregistrés

Exercice 13

1. Je les ai achetées ce matin au marché.
2. Je les ai rapportés quand je suis allé au Japon.
3. Tu ne l'as pas vue ce matin ?
4. Tu les as lus ?
5. Tu l'as déjà faite hier.
6. Je ne l'ai pas prise !
7. Claude Monet l'a peinte en 1873.
8. Où est-ce que tu l'as rangée ?

Exercice 14 🎧

1. apprise - 2. ouverte - 3. écrit - 4. détruit - 5. mises - 6. offerte - 7. faites - 8. rejoint

Exercice 15

1. Ça fait dix minutes que j'attends.
2. Ça faisait six mois qu'il était là-bas.
3. Ça fait seulement dix minutes que j'ai mis le poulet dans le four.
4. Ça fait une demi-heure que la réunion a commencé.
5. Ça faisait sept ans qu'ils habitaient à Paris.
6. Ça fait cinq minutes qu'elle est partie.
7. Ça fait trois ou quatre ans que je ne l'ai pas vue.

Exercice 16

1. Ça fait / Il y a six mois qu'Akiko apprend le français.
2. Ça fait / Il y a 10 ans/11 ans qu'on se connaît.
3. Ça fait / Il y a une demi-heure que je l'attends.
4. Ça faisait / Il y avait six mois / un an qu'elle travaillait avec moi.
5. Ça faisait / Il y avait une heure qu'il dormait.

6. Ça fait / Il y a une semaine que je n'ai pas vu Daniel.
7. Ça fait / Il y a deux heures qu'il est dans le bureau du directeur.

Exercice 17

1. Il y a six mois / un an que l'Estonie fait partie de l'Union européenne.
2. Ça fait 20 ans / 21 ans que la pyramide du Louvre existe.
3. Il y a 58 ans / 59 ans que la Martinique est un département français.
4. Il y avait 10 ans qu'il était en construction.
5. Ça fait 75 millions d'années que les dinosaures ont disparu de la Terre.
6. Il y a environ huit siècles que la cathédrale Notre-Dame est présente au centre de Paris.

Exercice 18

1. ça fait / il y a - 2. ça faisait / il y avait - 3. ça fait / il y a - 4. ça faisait / il y avait - 5. ça fait / il y a - 6. ça fait / il y a - 7. ça fait / il y a

Exercice 19

1. (dans / jusqu'au) - 2. (depuis / il y a) - 3. (en / pendant) - 4. (dans / en) - 5. (dans / pendant) - 6. (depuis / il y a)

Exercice 20 : proposition de corrigé

1. J'apprends le français depuis deux ans.
2. Il y a une semaine, je suis allé chez mon oncle.
3. Je vais à la montagne pendant les vacances.
4. Dans deux ans, je vais aller en France.
5. J'ai fait les trois exercices en 10 minutes.
6. Il arrive demain et reste jusqu'à vendredi.

Exercice 22 🎧

1. Je l'accrochais.
2. Qu'est-ce qu'il t'a conseillé ?
3. Il l'a croisée chaque matin.
4. On se promenait.
5. Ça pollue la rivière.
6. Vous rêviez de partir.
7. L'avion décolle à huit heures.
8. Je ne la retrouvais pas.

Exercice 23

	1	2	3	4	5	6	7	8
passé composé	X			X	X		X	
imparfait		X	X			X		X

Exercice 24 : proposition de corrigé

1. – Mais elle est où ?
   – Sois patiente, elle va arriver !
   – On attend depuis une heure. Je suis inquiet.

2. – Oh bah, s'il ne vient pas aujourd'hui tu le verras demain.
   – Non, mais, tu ne te rends pas compte ! S'il ne vient pas aujourd'hui, c'est une catastrophe !
3. – Non, ce n'est pas possible, je l'ai mis où ?
   – Il ne doit pas être loin.
   – Mais, non, on a cherché partout.
   – Ne t'en fais pas ! Je suis sûr qu'on va le trouver.
4. – Non, vraiment, je ne sais pas comment j'ai fait.
   – C'est juste un peu de café.
   – Mais ton pantalon est tout taché.
   – Ce n'est pas grave. Ça se lave.

Exercice 25 : proposition de corrigé

DIDIER :   Plusieurs années ?
ANNE :   Bon, c'est d'abord pour deux ans, mais si ça marche, on me demandera de rester.
DIDIER :   Deux ans ce n'est pas long. Et c'est où en Guinée ?
ANNE :   À Conakry.
DIDIER :   À Conakry, en plus ! Mais c'est super !
ANNE :   Mais, ça m'angoisse... être si loin de la France...
DIDIER :   Attends, ne t'en fais pas, avec le téléphone, l'internet et l'avion, on n'est jamais très loin. Et en Guinée, tout le monde parle français...
ANNE :   Et puis, pour mon poste, je ne suis pas rassurée, si ça ne marche pas...
DIDIER :   Alors, là, ne t'inquiète pas, si tu n'y arrives pas, ce n'est pas grave, ton entreprise te fera revenir rapidement en France et puis c'est tout.

Exercice 26

Verbes	Noms
contrôler	un contrôle
visiter	une visite
acheter	*un achat*
traverser	une traversée
arriver	*une arrivée*
partir	*un départ*
retourner	un retour

Verbes	Noms
communiquer	une communication
diminuer	*une diminution*
modifier	une modification
loger	un logement
changer	*un changement*
passer	*un passage*
décoller	un décollage

Exercice 27 : proposition de corrigé

VENDREDI :   On part de Paris à 15 heures.
             On arrive à Londres à 18 h 15.
             On s'installe à l'hôtel Royal Chelsea.
SAMEDI :   On visite les musées.
DIMANCHE :   On voyage en bus jusqu'à Canterbury.
             On visite de la ville.
             On retourne à Londres le soir.
             On part pour Paris à 20 h 30.

Exercice 28

a) 1. Au Pôle nord, dans l'Arctique.
2. 121 jours.
3. Des chiens
4. Non, n'importe qui ne peut pas partir comme ça. Il faut être sportif, avoir un bon entraînement et être suivi par des médecins.
5. C'est un moyen de survivre pour économiser ses forces physiques. On ne fait alors que les gestes importants.
6. Parce qu'il avait fait très froid et la neige les a recouverts, ils ont été pris dans la glace.
7. Parce que les chiots n'avaient jamais vu le soleil et c'était pour eux un phénomène qu'ils ne comprenaient pas.

b) **proposition de corrigé**
Stéphane Lévin est né le 26 avril 1963. Il a terminé ses études de géologie à l'université de Toulouse en 1984. Entre 1998 et 2001, il a effectué plusieurs grands voyages en Amazonie, au Brésil, au Vénézuéla et en Arctique. En 2002, après une solide préparation, il est parti de Toulouse pour l'expédition « Nuit polaire ».

Exercice 29 : proposition de corrigé

Les voyages en ballon sont un peu difficiles : on sait d'où on part, mais on ne sait jamais vraiment où on arrive, c'est le vent qui décide. Le vent décide également les jours où l'on peut voyager et les jours où il faut rester à terre : quand le vent est trop fort, on attend qu'il se calme. Et chaque soir, il faut se poser là où on peut et recharger les bouteilles de gaz pour pouvoir repartir, si possible, le lendemain. Nous sommes partis d'une petite ville près de Chartres un matin de juin. Nous avons réussi à aller jusqu'à la Côte d'Azur. Nous avons suivi la mer Méditerranée et nous sommes passés en Italie. Nous avons traversé l'Italie de Gênes à Brindisi. Notre traversée de la mer Adriatique a été un moment très spectaculaire. D'Italie, notre voyage a continué en Albanie, en Grèce puis en Turquie et nous nous sommes arrêtés en Iran. Partout, nous avons été merveilleusement bien accueillis. Nous nous arrêtions évidemment à la campagne et nous avons toujours trouvé des fermiers heureux de nous accueillir. Les enfants surtout étaient très curieux de notre ballon. Les services de police et les administrations nous ont souvent aussi apporté leur aide très gentiment.

Corrigés

Exercice 1
1. grotte - 2. m'entraîne - 3. supporte - 4. respirer -
5. patates - 6. fleuve - 7. bac - 8. chiffons

Exercice 2
1. vrai - 2. faux - 3. faux - 4. ? - 5. faux - 6. ?

Exercice 3
1. retourner - 2. frissonne - 3. percevait - 4. tunnels -
5. résonne

Exercice 4
a)
1. toutes ses journées - 2. tous les mercredis - 3. toutes les
explications - 4. tous ces dossiers
b)
1. tout le mois - 2. toute la soirée - 3. tout ce bruit - 4. toute
l'information

Exercice 5
1. Hier soir, j'ai relu tout le roman de Le Clézio.
2. Désolée, mais Monsieur Cros sera en voyage toute la
   semaine prochaine.
3. Évidemment, tous ses enfants étaient là pour fêter ses
   80 ans.
4. Quel sale temps ! Il a plu pendant tout le voyage !
5. Il n'y a plus de fruits ? Qui a mangé toutes les bananes ?
6. Dans tout le pays, il y a eu de nombreuses manifestations pour dire « non » au terrorisme.
7. N'hésitez pas à poser toutes les questions que vous
   voulez.
8. Je ne sais pas si tous les gens seront d'accord avec cette
   décision.

Exercice 6 🎧
trembler	→ imparfait
prononcer	→ passé composé
finir	→ plus-que-parfait
être	→ imparfait
se regarder	→ imparfait
pouvoir	→ imparfait
retrouver	→ plus-que-parfait
être	→ imparfait
rester	→ passé composé
avoir	→ imparfait
durer	→ présent
s'en aller	→ passé composé
être	→ présent
enlever	→ présent

Exercice 7
passé composé	imparfait	plus-que-parfait
tu as été	on était	vous aviez été
on a raconté	vous racontiez	elles avaient raconté
j'ai dit	tu disais	nous avions dit
il est venu	elle venait	ils étaient venus
nous avons pu	vous pouviez	elles avaient pu
elle a eu	nous avions	vous aviez eu
elles sont parties	vous partiez	elles étaient parties
on a compris	nous comprenions	j'avais compris
ils ont fait	je faisais	vous aviez fait

Exercice 8
1. n'avais pas revu - 2. étions parti(e)s - 3. n'avait pas
voulu - 4. avais bien dormi ; avais pris - 5. l'avait prévenu -
6. avaient fait - 7. avait connues - 8. avais perdu

Exercice 9
1.c. - 2.b. - 3.b. ; f. - 4.a. ; f. - 5.c. - 6.c. ; f.

Exercice 10
je me suis senti - la vie était - j'étais - je l'avais revue - Je
l'avais connue - qui fêtait - on avait discuté - on avait
dansé - on avait ri - Ludivine était - je ne l'avais pas revue -
j'avais - elle avait - personne n'avait téléphoné - je
pensais - qu'on avait passés - Francis... m'a appelé - J'ai
accepté - j'espérais - J'étais - elle est venue - La soirée a
été - on s'est promis

Exercice 11 : proposition de corrigé
1. Elle n'avait pas entendu son réveil sonner et elle s'était
   levée avec 25 minutes de retard. Elle avait voulu prendre
   un café très rapidement mais elle avait renversé sa tasse et
   avait dû nettoyer la cuisine... Ensuite, elle avait couru pour
   prendre le bus mais il partait au moment où elle arrivait à
   l'arrêt et il avait fallu qu'elle attende encore 15 minutes !
2. J'avais participé à un jeu dans un magasin de sport.
   J'étais allé acheter mon nouveau vélo et, à la caisse, on
   m'avait proposé de remplir un papier pour participer au
   grand jeu de l'été. Il fallait juste écrire son nom, son
   adresse et son numéro de téléphone. Depuis, j'avais
   oublié... et ce matin, j'avais reçu un appel de la direction
   du magasin pour me dire que j'étais le grand gagnant !
3. Elle était dans un grand magasin avec sa mère et elle
   avait voulu aller voir les jouets pendant que sa mère
   achetait des vêtements. La petite fille s'était bien
   amusée avec les nounours, puis elle avait regardé les
   petits trains, elle s'était intéressée aux nouveaux jeux
   de société... Le temps avait passé et elle avait voulu
   retourner près de sa mère... Malheureusement, elle
   n'avait pas retrouvé son chemin et c'est une vendeuse
   qui l'avait retrouvée en pleurs.

Exercice 12

à éliminer : 1.b. - 2.a. - 3.a. - 4.b. - 5.c. - 6.b.

Exercice 13

1. que - 2. Ø - 3. que - 4. Ø - 5. d' - 6. de - 7. Ø - 8. Ø

Exercice 14

1. en entrant - 2. En voyant - 3. en conduisant - 4. en entendant - 5. en traversant - 6. en courant - 7. en ouvrant - 8. en payant.

Exercice 15

1.f. - 2.g. - 3.a. - 4.c. - 5.b. - 6.e. - 7.h. - 8.d.

Exercice 16

En sortant ce matin, il faisait très mauvais. Il pleuvait ; je marchais **en pensant** aux belles vacances d'été que j'avais passées au Maroc... Tout à coup, quelqu'un s'est approché de moi : un homme, grand, élégant, portant des petites lunettes. Il a commencé à me parler et **au moment où il a prononcé** mon prénom : « Tu es Aline, non ? », j'ai retrouvé qui il était ! Jean-Louis ! C'était un des Français qu'on avait justement rencontrés à Marrakech.

On a discuté un peu **en évoquant** les bons moments qu'on avait partagés et on s'est quittés pour regagner chacun notre bureau. **En se quittant**, on s'est promis de passer bientôt une soirée ensemble à Paris pour regarder nos photos du Maroc **en mangeant** un bon tajine d'agneau au P'tit Kawa.

Exercice 17 🎧

	1	2	3	4	5	6	7	8
[f]		X	X		X	X		X
[v]	X			X			X	

Exercice 18 🎧

1. → 1 fois - 2. → 2 fois - 3. → 2 fois - 4. → 3 fois - 5. → 2 fois - 6. → 2 fois

Exercice 19 🎧

	1	2	3	4	5	6	7	8
2ᵉ mot		X			X	X		
3ᵉ mot	X		X	X			X	X

Exercice 20

1. Si, mais maintenant on y va le samedi matin.
2. Oui ! J'en sors à l'instant !
3. Non, j'en arrive.
4. On va y aller samedi vers 14 heures car Jeff travaille samedi matin.
5. Oui, j'en viens mais il n'y a pas grand monde.

Exercice 21

s'inquiète
→ – Oh là là, déjà 17 heures et on doit être à 17 h 30 à l'aéroport... On ne va jamais y arriver !

réconforte
→ – Ne t'en fais pas, on va trouver un billet
– Attendez, je vais trouver une solution et passer par l'est.

exprime la joie
→ – et moi, je suis ravi de partir en vacances avec toi.

exprime la colère
→ – C'est insupportable ! Il n'est pas capable de nous donner les informations et en plus, il n'est pas du tout aimable.
– Ça m'énerve toutes ces voitures ! C'est toujours pareil à Paris !

Exercice 22

1 : joie   → Ses cousins arrivent dimanche.
2 : colère → Pense que les hommes politiques ne disent jamais la vérité.
3 : colère → Antoine ne range jamais sa chambre.
4 : colère → Quelqu'un fume à l'intérieur.
5 : joie   → La personne à qui la personne parle n'est plus malade.
6 : joie   → On lui offre du champagne.

Exercice 23

1. (souvent - rarement - quelquefois)
2. (parfois - toujours - jamais)
3. (rarement - de temps en temps - jamais)
4. (de temps en temps - parfois - toujours)
5. (jamais - souvent - quelquefois)

Exercice 24

1. un homme et sa femme
2. Elle ne l'aime pas. Elle dit qu'elle est pourrie et que le climat est pourri aussi.
3. Elle vivait dans le sud.
4. Elle veut partir, retourner dans le sud où elle vivait avant.
5. Il répond que ce n'est pas facile de partir comme ça parce qu'il a un travail dans cette ville.

Unité 6 pages 54 à 61 : **Projets**

Exercice 1

1. funiculaire - 2. autobus - 3. téléphérique - 4. tramway - 5. télésiège

Corrigés

Exercice 2

construire	→ une construction
développer	→ un développement
respecter	→ un respect
rénover	→ une rénovation
accueillir	→ un accueil

Exercice 3 : proposition de corrigé

1. La construction de la nouvelle piscine va commencer au mois de juin.
2. L'installation de cette grande entreprise va beaucoup aider le développement de notre ville.
3. Le respect de l'environnement a toujours été une question importante pour notre entreprise
4. Les travaux de rénovation de l'immeuble vont durer 3 mois.
5. Notre projet a reçu un très bon accueil.

Exercice 4 🎧

Notre cabinet Van Eekert et Faivre a pour objectif d'installer (→ de créer) ici un nouveau centre commercial (→ régional) dynamique qui prendra en compte les dimensions humaines et le respect du développement (→ de l'environnement).
Notre projet comporte d'abord un programme d'agrandissement (→ d'aménagement) à l'est (→ l'ouest) du village. Nous construirons un grand monument (→ bâtiment) en haut de la falaise, à la place du château que nous allons vendre (→ détruire), pour acquérir (→ accueillir) un ensemble de sociétés de service (banque, assurance...). À l'est, des logements (→ appartements) avec terrasse et vue sur la mer.
Nous installerons la nouvelle ville derrière ce monument (→ bâtiment). Nous y regrouperons, autour d'une place centrale, des logements (→ appartements), des boutiques (→ magasins) (magasins d'alimentation, restaurants, hôtels...) et des bâtiments culturels (cinéma, musée national (→ régional), théâtre, discothèque (→ bibliothèque)...).
Avec l'ensemble des travaux, nous aurons ici une des plus belles constructions (→ réalisations) de France qui associera la ville et la montagne, le développement écologique (→ économique) et l'individu, la modernité et l'économie (→ l'écologie).

Exercice 5 🎧

avoir pour objectif de → 1 - prévoir de → 4 - envisager de → 3 - afin que → 2 - de façon à → 5 - de façon que → 6

Exercice 6

1. partir - 2. sois - 3. répondre - 4. restent - 5. puisses - 6. parler

Exercice 7 : proposition de corrigé

1. Nous manifestons afin d'avoir de meilleures conditions de vie.
2. Nous allons distribuer des œufs et du lait de façon à faire connaître nos problèmes à la population.
3. Nous avons l'intention de manifester jusqu'à ce nous obtenions toutes les choses que nous voulons.
4. Nous avons rencontré des journalistes pour qu'ils présentent nos conditions de vie actuelles.
5. Nous avons prévu de rencontrer le Ministre de l'agriculture.

Exercice 8 : proposition de corrigé

Nous avons décidé de créer, à côté de notre village, un parc de loisirs. D'abord, le vieux château va être en partie rénové de façon à pouvoir accueillir des visiteurs en toute sécurité. Quelques salles seront transformées en musée historique. Une boutique et un espace de restauration seront aménagés à l'intérieur du château.
Près du château, il y aura un grand parc avec trois grands espaces : un premier espace avec des animaux domestiques (chèvres, vaches, poules, canards...), un centre pour les animaux sauvages qui ont été blessés ou qui sont malades et un musée des métiers d'autrefois ; un autre espace présentera les plantes et les fleurs de notre région ; le dernier espace offrira de nombreux jeux pour les enfants et les adolescents. Les familles trouveront aussi dans ce parc des tables et des bancs pour pique-niquer.
Nous souhaitons que ce parc permette aux visiteurs de mieux connaître notre région et qu'ils puissent apprécier ici la beauté de la campagne, le calme et le bonheur.

Exercice 9 🎧

	1	2	3	4	5	6
contente	X			X		
mécontente		X	X		X	X

Exercice 10 : proposition de corrigé

1. – Mais, enfin, monsieur, vous voyez bien que c'est ma place : place 42, voiture 12.
   – Oui, oui, je vois bien, mais je ne bougerai pas d'ici. J'y suis, j'y reste.
   – Je ne peux pas accepter. J'ai payé, je voudrais avoir ma place.
   – Mais moi aussi, j'ai payé monsieur.
   – C'est lamentable ! Je vais chercher le contrôleur.
   – Oui, oui, allez chercher le contrôleur !
   – C'est scandaleux !
2. – Je ne peux pas entrer ?
   – Non, vous ne pouvez pas entrer en baskets.
   – C'est pas normal ! C'est des chaussures, c'est bon !

– Non, non, pas de baskets ici.

– Mais, il y a mon ami, Jérôme, qui est entré il y a deux minutes !

– Pas avec des baskets !

– Si, je vous assure, Jérôme, il ne porte que des baskets !

– Non, désolé.

– C'est lamentable !

Exercice 11 🎧

1. sac - 2. mouche - 3. chèque - 4. russe - 5. toucher - 6. Vincent - 7. saine - 8. cher

Exercice 12 🎧

	1	2	3	4	5	6	7	8
[s] pen**se**		X		X		X	X	
[ʃ] pen**che**	X		X		X			X

Exercice 13 🎧

	1	2	3	4	5	6	7	8
[ʃ] pen**che**	X		X		X	X		X

Exercice 14

1. Oui, son frère m'a demandé d**e lui** en apporter un.
2. Non, non, allez au musée, on va vous **y** retrouver dans une heure.
3. Non, personne ne m'**en** a parlé !
4. Non. Attends, je vais **la** lui demander.
5. Oh, dis, tu pourras me **le** prêter ?
6. Tu m'avais dit de ne pas **le** lui donner !
7. Ah ! Bon ! Alors, je vais vous **en** envoyer une copie par courriel.

Exercice 15

1. Oui, eh bien, il ne faut pas **leur en** donner, c'est mauvais pour eux !
2. Oui, et vous savez qui **le lui** a offert ?
3. Oui, bon, c'est la dernière fois ! Je ne **lui en** donnerai plus. Promis !
4. Euh… oui ! Je vais **le lui** rendre demain !
5. Une voiture ? Oui, éh, bien, ce n'est pas moi qui vais **lui en** acheter **une** !
6. Je ne **leur en** ai pas encore parlé.
7. Oui, oui, ne vous inquiétez pas, je vais **les y** emmener.

Exercice 16

1. On vous les a renvoyés.
2. Elle n'a pas voulu me la vendre.
3. Elle ne leur en a pas parlé.
4. Tu peux t'en occuper ?
5. Est-ce que vous pourriez me la présenter ?
6. Je ne sais pas si elle la lui a donnée.
7. Ils nous en ont commandé cent.

Exercice 17

(67) BREUSCHWICKERSHEIM
Maison

15 km de Strasbourg. Maison traditionnelle de 1975. 147 m² : cuisine équipée, séjour/salon, 5 chambres, 2 salles de bains, wc. Chauffage gaz. Sous-sol deux garages. Vue dégagée. Calme. Jardin arboré.
320 000 €. 03 77 95 55 43 ou 06 71 71 19 69.

(85) FROMENTINE
Maison

Face à l'île de Noirmoutier. Proche plage et forêt, pistes cyclables. Maison plein sud, 95 m², rénovée : salon/séjour avec cheminée, 3 chambres dont 1 avec salle de bains, salle de bains. Terrain 650 m² arboré avec terrasse en bois 80 m². 245 000 €.
02 51 76 65 16 après 20 heures ou 06 82 21 53 06.

Exercice 18

	1	2	3	4	5	6	7	8	9	10	11	12	13	14	15
I	R	I	N	G	A	R	D	E		B	A	C		O	S
II	A				E	T	C		U		D				C
III	R		A	L	L	U	M	E	R		G		I		U
IV	E				E		O		M	I	S		L		
V	M	A	R	C	H	A	N	D	I	S	E		C		P
VI	E		R			A		S		N		R	A	T	
VII	N	E		E	N	I	G	M	E		T	O	I		U
VIII	T		D	E		E		R		E	M				R
IX		B	I	Z	A	R	R	E		C	R	O	I	R	E
X		M			I					A		N			
XI	M	O	I	T	I	E		E	F	F	I	C	A	C	E
XII		N			N			I					T		T
XIII	B	O	U	L	O	T		I	N	D	I	V	I	D	U
XIV	I		E	U				I			C		O		D
XV	P	A	R	C	O	U	R	S		M	I	E	N	N	E

MODULE 3
Expliquer, se justifier

Unité 7 pages 62 à 71 : **Savoir-vivre**

Exercice 1 : proposition de corrigé

1. À l'entrée d'un musée
2. Dans un hôtel
3. Sur une autoroute
4. À l'entrée d'un théâtre ou d'une salle de spectacle
5. Dans un lycée ou une université
6. Dans une boutique d'art ou un musée

Corrigés

Exercice 2 : proposition de corrigé

Dans un restaurant
→ Demandez notre carte des glaces.

Dans la rue
→ Veuillez emprunter le trottoir d'en face.

À l'entrée d'un musée
→ Il est interdit de manger dans le musée.

Dans une banque
→ Merci d'attendre derrière la ligne jaune.

Dans un train
→ Veuillez respecter la tranquillité des passagers et éteindre votre téléphone portable.

Exercice 3

1. te - 2. vous - 3. l' - 4. m' / nous - 5. leur - 6. l'

Exercice 4

1. manquent - 2. as manqué - 3. manque - 4. va manquer / manquera - 5. manquera - 6. manques

Exercice 5

Exprime l'obligation → documents n° 2, 3
Interdit → documents n° 1, 4, 5, 6

Exercice 6

1. Prière - 2. Merci - 3. Vous ne devez pas -
4. Ne - 5. Défense

Exercice 7 🎧

1. Mais ~~on ne doit~~ il ne faut pas se baigner ici !
2. Défense d'afficher.
3. Ne ~~pas toucher~~ touchez pas les objets, s'il vous plaît.
4. ~~Ne~~ Prière de ne pas sonner.
5. ~~Vous devez~~ Merci de laisser un message.
6. Veuillez éteindre votre téléphone portable.
7. ~~Défense~~ Il est interdit de pénétrer dans ce bâtiment.
8. Moi, je pense qu'il ~~ne faut pas~~ est interdit d'interdire.

Exercice 8 🎧

1. Elle demande à Pascal **de ne pas faire trop de bruit cette nuit**.
2. Il interdit à son ami **de prendre des photos dans cette salle du musée**.
3. Il veut que son ami **attache sa ceinture**.
4. Elle demande à Monsieur Rouyer qu'il **rappelle quand il rentrera**.
5. Elle exige que **tout le monde soit là à 9 heures**.
6. Il défend à Romain **de parler comme ça à ses parents**.

Exercice 9

1. ; 2. ; 3.   2. ; 3. ; 1.   1. ; 3. ; 2.

Exercice 10 🎧

1. Dominique va fêter ses quarante ans.
2. Joël vit au Kénya.
3. On ne sait pas encore s'il viendra ou non.
4. Elle a été malade.
5. Ils ne sont plus ensemble.

Exercice 11 🎧

1. J'aimerais beaucoup que mon frère Joël soit là pour mes 40 ans.
2. Je ne crois pas qu'il puisse venir en France seulement pour ça.
3. Ça serait vraiment dommage qu'il ne soit pas avec toi (pour cette fête)
4. Mais je suis heureuse que maman aille mieux et puisse être là.
5. Oui, c'est bien mais je suis surpris que tu ne parles pas de ton père.
6. J'ai très envie qu'il vienne mais tu sais, comme il ne vit plus avec maman...
7. Bah oui, je souhaite qu'ils viennent tous les deux, mais on verra bien !

Exercice 13

1. (vient - <u>vienne</u>) - 2. (dis - <u>dise</u>) - 3. (<u>sort</u> - sorte) -
4. (allons - <u>allions</u>) - 5. (sait - <u>sache</u>) 6. (répond - <u>réponde</u>)

Exercice 14

1. (<u>est</u> - soit) - 2. (vois - <u>voies</u>) - 3. (<u>croie</u> - croit) - 4. (as - <u>aies</u>) - 5. (rit - <u>rie</u>)

Exercice 15 🎧

indicatif → 2. vient ; 7. est
subjonctif → 1. *ait* ; 3. puisse ; 4. dises ; 5. soyez ;
6. comprenions ; 8. parte

Exercice 16

1. Je ne crois pas
2. Nous espérons
3. C'est extraordinaire / C'est triste
4. Ce n'est pas sûr / Je doute
5. Elle sait très bien

Exercice 17

1. viendra - 2. soit - 3. soit - 4. parte - 5. sont - 6. m'écrive

Exercice 18 : proposition de corrigé

Jacqueline,
Pendant mon voyage, merci de réserver mes billets pour l'Islande. Je voudrais aussi que vous organisiez une petite réception avec tout le personnel dans la semaine de mon retour pour célébrer les résultats 2005.

Il faut aussi absolument que vous vous occupiez de la signature du contrat avec la société Jarnac. N'oubliez surtout pas d'appeler Madame Dufrick.

Je rentre le 18 et, le 20, Monsieur Nogueira arrive. Il faudra donc qu'il ait une chambre d'hôtel pour 2 nuits et il est nécessaire qu'il rencontre Monsieur Lévy, Madame Faullereau et Mademoiselle Ollier. Pensez à prévenir toutes ces personnes et à fixer les rendez-vous.

Il est très important que vous m'appeliez en Islande si la société Duval-Aubert donne de ses nouvelles.

Pour finir, j'espère que vous penserez à arroser la plante de mon bureau (avec de l'eau minérale seulement !).

Bon courage et à très bientôt,

M. Bassinger

Exercice 19 : proposition de corrigé

1. Bonne idée, j'en ai très envie !
2. Oui, on en a bien profité et en plus, il a fait très beau.
3. Je ne sais pas, il ne m'en parle jamais.
4. Je le savais, c'est vraiment très bien pour elle.
5. Non. Je ne m'y intéresse pas beaucoup.
6. J'en suis conscient(e) mais je n'aurai pas envie de reprendre, c'est sûr.
7. Je le veux et je réussirai !
8. Elle en est très amoureuse et elle n'a pas envie de le quitter.
9. Oui, c'est vrai. Tu ne le savais pas ?
10. Pas de problème, je vais m'en occuper.

Exercice 20 🎧

	1	2	3	4	5	6	7	8
début				X				
milieu			X		X			
fin	X	X				X	X	X

Exercice 21 🎧

	1	2	3	4	5	6	7	8
1er mot		X			X			
2e mot								
3e mot	X		X	X		X	X	X

Exercice 22 🎧

1. À quelle heure on dî**ne** ?
2. Il n'est pas di**gne** de notre estime.
3. Elle est très mi**gn**on**ne** !
4. Il veut toujours qu'on le plai**gne**.
5. C'est un pays de grandes plai**nes**.
6. Je n'ai plus d'oi**gn**on pour cuisi**ne**r.
7. Le pauvre, il est **n**ain et bor**gne** !
8. Mon frère aî**né** est vi**gn**eron.

Exercice 23 : proposition de corrigé

On se couche toujours très tard
On aime vivre, chanter, danser
Mais on ne fait pas que s'amuser car
On sait aussi travailler !

En été, il fait très chaud
Alors le matin, on se lève plus tôt
L'après-midi, une petite sieste
Et puis on repart au boulot...

Dans notre Espagne, on aime manger
On a de bonnes spécialités
La tortilla, l'empanada
Et puis bien sûr la paëlla !

Unité 8 pages 72 à 80 : **Sans voiture**

Exercice 1 : proposition de corrigé

1. Cet objet sert à ouvrir les bouteilles de bière.
2. Grâce au vent, cette machine sert à produire de l'électricité ou à prendre l'eau dans le sol.
3. Le petit cochon sert à économiser de l'argent.
4. Cet objet sert à mieux voir les choses qui sont très petites.
5. C'est la tour Eiffel. Elle sert à faire venir beaucoup de touristes à Paris !

Exercice 2

1. organiser - 2. s'occupe - 3. prévoit - 4. profiter - 5. n'arrive - 6. permettra

Exercice 3

1. C'est toujours pareil ! - 2. Ça ne sert à rien ! - 3. Ce serait encore mieux !

Exercice 4

1. – Mais, dis donc, tu as vu l'heure ?
   – Je sais, je suis en retard, je suis désolé !
   – Tu es désolé ? Il ne faut pas te gêner ! Tu sais qu'on a rendez-vous à 10 h 30.
   – Oui, bah, ils attendront.
   – Mais, non, ils ne vont pas attendre ! Si on n'est pas à l'heure, on peut retourner chez nous, tu sais !
   – Oh, mais on va y arriver, j'ai juste 20 minutes de retard !
   – Oui, mais, avec toi c'est toujours pareil ! Achète une autre montre !
2. – Qu'est-ce que tu fais ?
   – Je voulais travailler sur le projet Peltier, mais j'ai eu un petit problème avec l'ordinateur.
   – Un petit problème ?

Corrigés

– Oui, ça marche mal et je n'arrive plus à ouvrir les fichiers Peltier.

– Attends, laisse-moi voir... Mais ! Ils ont tous été effacés ! C'est toi qui as fait ça ?

– Non, je n'ai rien effacé, c'est l'ordinateur qui...

– L'ordinateur ! Non, vraiment, tu exagères ! Et pourquoi tu as touché à ces fichiers ?

Exercice 5 🎧

dialogue 1

Où se passe la scène ?
→ À un spectacle, dans la rue.

Qui sont les personnes ?
→ Une femme. Un homme et sa fille.

Quel est le sujet de leur discussion ?
→ L'homme est passé devant la femme et elle ne voit plus le spectacle.

dialogue 2

Où se passe la scène ?
→ Dans un lieu touristique.

Qui sont les personnes ?
→ Un homme et une femme en vacances.

Quel est le sujet de leur discussion ?
→ La femme pense que l'homme n'a pas été gentil avec un autre homme qui voulait leur parler.

dialogue 3

Où se passe la scène ?
→ Dans un bureau.

Qui sont les personnes ?
→ Une employée du bureau. Un homme qui doit donner des documents.

Quel est le sujet de leur discussion ?
→ L'homme n'a pas apporté tous les documents dont l'administration a besoin.

Exercice 6

1. Brigitte a quitté l'association sportive dont elle faisait partie.
2. Où je vais pouvoir trouver toutes les choses dont j'ai besoin ?
3. La maison dont vous avez vu les photos coûte 250 000 €.
4. La fille dont il est amoureux n'est pas française.
5. Où en est cette affaire dont vous vous occupez actuellement ?
6. Je vais vous donner l'adresse d'un restaurant dont vous ne serez pas déçus.
7. Vous me parlez d'un problème dont j'ignore absolument tout.
8. C'est une grave erreur dont vous connaîtrez bientôt les conséquences.

Exercice 7

1. Que devient le projet ? Vous nous avez parlé de ce projet.
2. L'appartement va être rénové. Vous êtes locataire de cet appartement.
3. Le service compte quinze employés. Je m'occupe de ce service.
4. Nous allons organiser un concert. Les bénéfices du concert seront versés à la Croix Rouge.
5. Camille est une collaboratrice. Nous sommes plutôt satisfaits de cette collaboratrice.
6. Oui, euh, c'est un petit problème. Je ne me souvenais pas du tout de ce petit problème.

Exercice 8

1. que -2. dont - 3. où - 4. dont - 5. que - 6. qui - 7. dont - 8. qui

Exercice 9

	forme active	forme passive
1. Manon est arrivée hier soir.	X	
2. Ton cadeau nous a fait très plaisir.	X	
3. Les documents vous seront envoyés aujourd'hui.		X
4. Elles ont toutes été vendues.		X
5. Il s'est trompé de jour.	X	
6. Pour l'oral, j'ai été convoqué à 8 heures.		X
7. Le dossier doit être rapporté avant le 18 avril.		X
8. La réunion s'est-elle bien passée ?	X	

Exercice 10 🎧

	1	2	3	4	5	6	7	8
forme active		X	X		X		X	
forme passive	X			X		X		X

Exercice 11

1. Un projet de collaboration va nous être présenté par le président de l'université.
2. La sécurité est assurée par la société SIGS.
3. Tous les deux ans, un contrôle technique doit être effectué par un organisme officiel.
4. La construction d'un nouveau supermarché pourrait être refusée par la mairie.
5. Le TGV de 14 h 30 a été retardé par un incident technique.
6. En 1965, la diffusion de ce film avait été interdite par le gouvernement.
7. Chaque visiteur doit être accompagné par un membre de notre personnel.
8. Ils ont été condamnés à six mois de prison par le tribunal.

Exercice 12

1. Est-ce que la facture d'électricité a été payée ?
2. La nouvelle n'a pas encore été annoncée.
3. L'église Sainte Thérèse sera transformée en centre culturel.
4. L'usine de Toulouse avait été fermée en 1995.
5. Un tableau de Claude Monet a été découvert dans un grenier.
6. Ils (elles) vont être très bien accueillis (accueillies).
7. La plage est nettoyée tous les matins.
8. Le Club Med a été créé en 1950.

Exercice 13

1. Le matériel vous sera livré mercredi matin.
2. En raison du Tour de France, la nationale 149 va être fermée.
3. La réunion a été reportée au 25 avril.
4. Vous serez contacté(e)(s) par téléphone.
5. Malgré ma demande, mes frais de taxi ne m'ont pas été remboursés.
6. Pour toute modification du système, le service technique doit être informé.
7. Tous les résultats vous seront communiqués la semaine prochaine.
8. Les peintures ont été refaites l'année dernière.

Exercice 14 🎧

1. deux ans - 2. beige - 3. chaque - 4. des joies - 5. il la laisse - 6. la braise

Exercice 15 🎧

1. Ils entrent. - 2. Un beau cageot. - 3. Onze ans. - 4. Elles sont douces. - 5. Une bonne cassette. - 6. Arrête de toucher. - 7. Une bise.

Exercice 16 🎧

1. Quelle joie ! - 2. La basse est parfaite. - 3. Une vieille ruse. - 4. C'est en marge.

Exercice 17 🎧

	1	2	3	4	5	6	7	8	9
[s] saine	X								
[z] zen				X				X	
[ʃ] chaîne		X	X			X			
[ʒ] gêne					X		X		X

Exercice 18

1. (donc ; parce que)
2. (par conséquent ; puisqu')
3. (à cause des ; grâce aux)
4. (alors ; comme)
5. (en conséquence ; parce qu')

Exercice 19

1. Anne aime le parfum mais n'aime pas les fleurs. Elle ne connaît pas Romain.
2. Quentin ne connait pas Anne ni Béatrice.
3. Romain adore les bons parfums. Il n'est pas l'ami de Dorine.
4. Caroline n'aime pas qu'on lui offre du parfum. Elle ne connait pas Théo
5. Stéphane connaît l'amie de Romain et il offre souvent des disques de chansons françaises.
6. L'ami de Dorine ne lui offre jamais de bague.
7. L'amie de Quentin ne reçoit pas de fleurs.

Quentin offre une bague à Caroline.
Romain offre un parfum à Béatrice.
Stéphane offre des disques à Anne.
Théo offre des fleurs à Dorine.

Exercice 20 : proposition de corrigé

1. On n'a pas pu partir en bateau à cause du vent.
2. On a trouvé facilement grâce au plan que tu nous avais fait.
3. Puisque vous le connaissez, vous allez pouvoir m'aider.
4. La réunion n'est pas encore finie, par conséquent ne m'attendez pas.

Exercice 21 : proposition de corrigé

1. Le mauvais temps a provoqué des pannes d'électricité.
2. La pollution est responsable du réchauffement de la planète.
3. Cette décision pourrait causer un incident diplomatique.

Exercice 22

1. Stéphane Gallard
2. une de ses amies
3. 2003
4. donner des informations sur l'utilisation du vélo / discuter avec les autorités de la ville pour obtenir de nouvelles installations.

Unité 9 pages 81 à 89 : **Un monde solidaire**

Exercice 1

information	1	2	3	4
affiche	B	C	A	D

Exercice 2

1. l'aide - malades - pays - enfants - familles - l'école -
2. chercheurs - combattre - maladies - recherche - hommes - action

Corrigés

Exercice 3

Verbes	Noms
rechercher	la recherche
prévenir	*la prévention*
respecter	*le respect*
agir	l'action
lutter	la lutte
combattre	*le combat*
donner	le don
créer	*la création*
protéger	la protection
fonder	la fondation
aider	l'aide
soutenir	*le soutien*

Exercice 4
lutter = combattre - aider = soutenir - fonder = créer

Exercice 5
1. recherche ; lutter - 2. prévention - 3. créer / fonder ; aider / soutenir - 4. dons

Exercice 6
1. pourriez - 2. aimerais - 3. serait - 4. voudrais - 5. aurait - 6. dirions - 7. ferais - 8. plairait

Exercice 7 🎧
exprime...

un souhait	→ 5 ; 7
un conseil	→ 2 ; 8
une demande polie	→ 4 ; 6
une information incertaine	→ 3
une proposition	→ 1

Exercice 8 : proposition de corrigé
Salut ! Je viens de lire La Nouvelle République et j'y ai trouvé des nouvelles assez étonnantes. Lis ça... La tour Eiffel va être déplacée à la Défense. Ce lieu pourrait accueillir plus de visiteurs et puis le maire de Paris voudrait réunir le Paris ancien et le Paris moderne. Tu savais ça, toi ?

Et puis, il y a autre chose... Le parc Disneyland fermerait bientôt parce qu'il aurait de graves problèmes financiers ! Ça alors, c'est vraiment étonnant ! À la place, ils construiraient des appartements.

Une autre nouvelle que je trouve très bizarre : il va y avoir des travaux au zoo de Vincennes et pendant ces travaux, les animaux iraient au château de Versailles où ils seraient en liberté ! Bien sûr, il n'y aurait pas les lions ni les tigres mais les crocodiles, les hippopotames ou encore les girafes et les zèbres. Ce serait drôle d'aller voir ça, tu ne trouves pas ?

Exercice 9
1. ira - 2. ferais - 3. feriez - 4. viendras - 5. serait - 6. ferait ; dormira / dormirait - 7. viendra - 8. parlerais

Exercice 10
1.B. - 2.E. - 3.F. - 4.C. - 5.D. - 6.A.

Exercice 11 : proposition de corrigé
1. Si je pouvais, je partirais en vacances une semaine par mois.
2. Si tu viens à Paris, il faut absolument que je te présente mon amie Béatrice.
3. Appelle-moi si tu as le temps de prendre un petit café.
4. Imagine que tu gagnes un voyage et que tu puisses choisir le pays, tu iras où ?
5. Au cas où Fabienne te rappellerait, parles-en à Marie.
6. On ira en Bretagne cet été si Jean-Marc peut prendre quelques jours de vacances.

Exercice 12
1. Il y a 1 grand-mère + ses 2 filles + leurs 2 filles. (1 + 2 + 4 = 7)
2. L'eau ne touchera jamais le coquillage car le bateau flotte et le coquillage restera toujours à un mètre au-dessus du niveau de l'eau.

Exercice 13 : proposition de corrigé
1. – C'est vrai, tu es toujours fâché avec Sophie ?
   – Oui. Vraiment fâché !
   – Oh ! Ça va s'arranger, non ?
   – Ah ! Non ! Même si elle m'appelle ou que je la revois chez toi au ailleurs, je ne lui parlerai pas !
2. – Vous allez bien venir à la fête chez les Michaud, non ?
   – On aimerait bien mais on fête les 70 ans de mon père ce jour-là.
   – Oh ! Quel dommage que ce soit le même jour...
   – Et oui. On ne pourra pas venir, sauf si mon père décide de changer la date de sa petite fête, au cas où quelqu'un de la famille ne pourrait pas venir.

Exercice 14 🎧

	1	2	3	4	5	6
joie	X			X		
tristesse		X	X		X	X

Exercice 15
C'est dommage que personne dans notre groupe ne sache faire de belles photos.

Je suis allée à Lourdes : des gens malades partout ! Ça m'a fait vraiment mal de voir ça.

Partir à l'autre bout du monde sans ma famille... Cette idée est difficile à supporter.

Encore des agressions racistes dans le métro ! On ne peut pas accepter ça ! Il faut manifester !

Exercice 16
b)

tristesse	→ C'est vraiment dommage
	J'ai du mal à le supporter.
	Ça me rend malheureuse, parfois.
déception	→ Je suis très déçue.
	Quelle déception !
	Je ne m'attendais pas à ça.

Exercice 17 🎧
1. Oh ! Quel dommage !
2. On ne s'attendait pas à ça.
3. Ça me rend très triste de voir la misère.
4. Dommage. Si vous aviez su...

Exercice 18 🎧

	1	2	3	4	5	6	7	8
début			X					
milieu				X				X
fin	X	X			X	X	X	

Exercice 19 🎧

	1	2	3	4	5	6	7	8
2e mot	X			X	X	X	X	
3e mot		X	X					

Exercice 20 🎧

	1	2	3	4	5	6	7	8
[k]		X	X			X	X	
[g]	X			X	X			X

Exercice 21 🎧
J'ai un **c**opain mexi**c**ain **qu**i fait ses études en France. Il étudie l'an**g**lais et le **g**rec moderne à l'université de **C**lermont-Ferrand.
Donnez-moi un **k**ilo de **c**arottes et deux man**gu**es, pour les **g**oûter. Et les abri**c**ots, ils sont bons ?
Caroline adore le **C**anada mais ses enfants lui man**qu**ent beau**c**oup. Elle les retrouvera le vingt-cin**q** o**c**tobre **c**ar il y aura des va**c**ances s**c**olaires.

Exercice 22
1. M6 est une chaîne de télévision.
2. M6 joue un grand rôle dans la solidarité.

3. *Zone interdite* est un magazine d'informations.
4. La première forme d'aide que M6 apporte est la diffusion d'émissions consacrées aux grandes causes.
5. M6 diffuse gratuitement les publicités pour les œuvres humanitaires.
6. M6 fait des dons aux œuvres humanitaires.

MODULE 4
Argumenter

Unité 10 pages 90 à 97 : **Modes et marques**

Exercice 1

1	2	3	4	5	6
c	e	d	f	b	a

Exercice 2
s'identifier - rejeté - se différencier - acquérir - appartient - adopté - se reconnaître

Exercice 3 🎧
dialogue 1
problème évoqué
→ Ils doivent partir à 5 heures.
justification donnée
→ S'ils partent tôt, il n'y aura pas de voitures sur la route.
dialogue 2
problème évoqué
→ La machine est chère.
justification donnée
→ La machine est de très bonne qualité.
dialogue 3
problème évoqué
→ L'homme emporte beaucoup de médicaments.
justification donnée
→ Il va dans un pays où il est difficile de trouver des médicaments.
dialogue 4
problème évoqué
→ L'homme n'aime pas la veste. Elle est grande et a beaucoup de poches.
justification donnée
→ La femme dit que c'est un bon style et que les poches permettent de ranger beaucoup de choses.

Exercice 4 : proposition de corrigé
1. Oui, je voulais graver des cédés et recevoir des photos par l'internet, c'est pour ça que j'ai changé d'ordinateur.
2. L'internet, ça permet d'aller chercher plein d'informations, de télécharger des documents...
3. Cette petite caméra, ça sert à prendre des photos ou faire de petits films que je peux envoyer à mes amis.

Corrigés

4. Tous ces programmes, c'est pour faire de jolis textes, créer des images, modifier des photos, enregistrer des documents audio...
5. Si je voulais être vraiment libre de faire ce que je voulais, il fallait que je change d'ordinateur.

Exercice 5
1. 4,50 euros ! C'est scandaleux !
2. C'est inadmissible, j'ai fait 300 kilomètres pour venir ici aujourd'hui.
3. Je m'insurge contre cette décision : c'est 80 personnes qui vont perdre leur emploi.

Exercice 6 : proposition de corrigé
1. Quoi ? Mais, c'est inadmissible, je ne peux pas attendre une semaine !
2. Non, non ! Je proteste ! Cela fait cinq ans que je m'occupe de l'Amérique du Sud !
3. C'est scandaleux ! À l'agence, on m'avait dit que tout était compris dans le prix !

Exercice 7 🎧
1. C'est un scandale !   → C'est lamentable !
2. Je suis contre !   → C'est une honte !
3. C'est incroyable !   → C'est intolérable !
4. Ce n'est pas possible !   → C'est inadmissible !

Exercice 8 : proposition de corrigé
Marianne Latour   Tulle, le 15 avril
12, rue Victor Hugo
19000 Tulle

Monsieur le Directeur,
Vous avez décidé de supprimer les enseignements de deux langues et de ne proposer qu'une seule langue étrangère dans votre établissement.
Je proteste contre cette décision qui n'est pas bonne pour l'éducation de nos enfants et pour leur avenir.
Apprendre plusieurs langues étrangères permet d'abord de découvrir d'autres cultures, et c'est, avant les parents, l'école qui doit donner la possibilité de découvrir le monde. Après leurs études, quand nos enfants travailleront, ils devront très certainement communiquer avec d'autres pays et ils auront besoin de plusieurs langues étrangères. Si l'école ne leur permet pas d'apprendre plusieurs langues, ils auront des problèmes pour trouver du travail. C'est bien sûr inadmissible !
Je vous demande donc, Monsieur le Directeur, de modifier votre décision et d'offrir plusieurs langues étrangères l'année prochaine dans votre école.
Veuillez agréer, Monsieur le Directeur, l'expression de mes salutations distinguées.

Exercice 9
1. (le chapeau - la chemise - les chaussures)
2. (le modèle - la chambre - les photos)
3. (le dossier - la feuille - les documents)
4. (le bracelet - la bague - les lunettes)
5. (le groupe - les étudiantes - les touristes)
6. (le gâteau - la tarte - les croissants)

Exercice 10
1. lesquels - 2. ceux - 3. celle - 4. lequel - 5. Celui-là - 6. Laquelle - 7. ceux - 8. celui

Exercice 11
1. laquelle - 2. celui-là / celui-ci / ça - 3. celui - 4. ça - 5. ça - 6. celle-là / celle-ci - 7. ceux - 8. ça

Exercice 14 🎧
1. boule - 2. charrue - 3. cloître - 4. déloger - 5. franche - 6. parent - 7. palier - 8. poire

Exercice 15 🎧
1. clique - 2. grand - 3. pile - 4. courant - 5. frotter - 6. clocher

Exercice 16
1. Oui, je l'ai acheté pour toi !
2. Ah, Céline va être contente !
3. Nous avons fait quel exercice hier ? / Quel exercice avons-nous fait hier ?
4. Il habite à Lyon ?
5. Elle est partie chez sa sœur.
6. Je le lui ai dit.
7. Elle est arrivée à quelle heure ?
8. Béatrice va acheter le cadeau.

Exercice 17
1. Euh, pas en Lettonie, c'est en Estonie qu'elle a habité !
2. Parce que... c'est avec Mathilde qu'elle veut travailler.
3. Non, non, c'est le 16 qu'il arrive.
4. Euh, excusez-moi, en 1792, c'est Louis XVI qui était le roi de France.
5. Je n'ai pas besoin d'aide. C'est de calme que j'ai besoin ! Tu comprends ça ?
6. Non, c'est moi qui vais à Budapest. Toi, tu vas à Bucarest.
7. Ah, c'est avec cette société que nous, nous avons eu des problèmes. / Ah ! nous, c'est avec cette société que nous avons eu des problèmes.

Exercice 18
1. Ce qu'elle voudrait, c'est que tu la laisses s'occuper du projet Forcadet.

2. Ce que j'aimerais savoir, c'est où elle va trouver assez d'argent pour tout payer.

3. Ce qui m'énerve vraiment, c'est son attitude négative.

4. Ce que je ne comprends pas, c'est comment il a pu faire une erreur pareille.

5. Ce qu'elle aimerait, c'est acheter une petite maison à la campagne.

6. Ce qui nous inquiète beaucoup c'est l'augmentation du prix du pétrole.

7. Ce qu'elle ne sait pas, c'est que, moi aussi, je suis allé voir le directeur.

8. Ce que je veux vous montrer, c'est que la deuxième solution est beaucoup plus économique.

Exercice 19

1. une présentation de vêtements.

2. peuvent recevoir d'une grande marque tous leurs vêtements de sport.

3. ont maintenant plus de temps libre et font plus de sport.

4. elle achète les mêmes vêtements que ce grand sportif.

5. Les « sportifs du dimanche », les gens qui font un peu de sport, veulent ressembler aux sportifs professionnels et avoir les mêmes vêtements qu'eux. Donc, les marques font porter certains vêtements aux professionnels et elles vendent ensuite ces mêmes vêtements aux « sportifs du dimanche ».

Unité 11 pages 98 à 107 : Vie active

Exercice 1

1. ~~une place~~ → une réunion
2. son nouveau ~~personnel~~ → son nouveau poste
3. ~~délégué~~ → service
4. du ~~secteur~~ → du personnel
5. aux ~~informaticiens~~ → délégués

Exercice 2

1. un peintre - 2. une secrétaire - 3. un vendeur de vêtements - 4. un médecin - 5. un professeur - 6. un maçon

a	b	c	d	e	f
C	B	F	A	D	E

Exercice 3

1. pourtant - 2. même si - 3. pourtant - 4. pourtant - 5. pourtant - 6. même si - 7. malgré - 8. même si

Exercice 4 : proposition de corrigé

1. Je vais essayer de t'expliquer **même si** je n'ai pas tout compris, moi non plus.
   Je vais essayer de t'expliquer, **pourtant** je n'ai pas tout compris, moi non plus.

Je n'ai pas tout compris, moi non plus, je vais **quand même** essayer de t'expliquer.

2. Pierre a eu son examen, **alors qu'**il pensait qu'il n'avait pas réussi.
   Pierre pensait qu'il n'avait pas réussi, il a **quand même** eu son examen.
   Pierre a eu son examen, **même s'**il pensait qu'il n'avait pas réussi.

3. **Malgré** mon envie de gâteaux au chocolat, je ne vais pas en acheter.
   Bien que j'aie envie de gâteaux au chocolat, je ne vais pas en acheter.
   J'ai envie de gâteaux au chocolat **pourtant** je ne vais pas en acheter.

4. **Même s'**il a eu un problème de voiture, Franck est arrivé à l'heure au bureau.
   Franck a eu un problème de voiture, **pourtant** il est arrivé à l'heure au bureau.
   Bien que Franck ait eu un problème de voiture, il est arrivé à l'heure au bureau.

5. Ils ont des petits soucis d'argent, **pourtant** ils viennent d'acheter un téléviseur et un magnétoscope.
   Même s'ils ont des petits soucis d'argent, ils viennent d'acheter un téléviseur et un magnétoscope.
   Alors qu'ils ont des petits soucis d'argent, ils viennent d'acheter un téléviseur et un magnétoscope.

Exercice 5 : proposition de corrigé

Bien qu'il ait eu un grave accident, il est resté gai et de bonne humeur.

Malgré vos examens, vous devez continuer à faire du sport.

Elle a fait de nombreux voyages, elle a **quand même** toujours envie de découvrir de nouveaux pays.

Il est allé danser tous les soirs, **pourtant** son grand-père était mort quelques jours avant.

Alors que je fais beaucoup de sport, je n'ai pas maigri d'un kilo.

Avec sa beauté, elle a beaucoup d'amis **mais** elle continue à vivre seule.

Exercice 6 : proposition de corrigé

1. Arthur a un bon travail, **en revanche** Romain est au chômage depuis huit mois.

2. Ici, l'hiver, il fait vraiment froid, **par contre**, l'été n'est pas trop chaud.

3. En France le noir est la couleur qu'on porte quand quelqu'un est mort, **en revanche**, dans d'autres pays, c'est le blanc.

4. Mozart est connu partout dans le monde, **par contre** Bénabar est seulement connu en France.

5. En français, les mots ne s'écrivent pas comme on les prononce, dans ma langue, **au contraire**, on écrit comme on parle.

Corrigés

Exercice 7
1. (~~rapide~~ - rapidement)
2. (facile - ~~facilement~~)
3. (~~dur~~ - durement)
4. (~~méchant~~ - méchamment)
5. (patient - ~~patiemment~~)
6. (~~calme~~ - calmement)
7. (~~léger~~ - légèrement)
8. (~~gentil~~ - gentiment)

Exercice 8
1. Tu peux répéter avec un peu plus lentement, s'il te plaît ?
2. Il a réussi brillamment tous ses examens avec une moyenne de 16 sur 20.
3. C'est mal écrit, elle ne peut pas écrire plus clairement ?
4. Vous parlez français couramment ?
5. Bérénice s'habille toujours élégamment.
6. En ce jour, je pense à mes parents, évidemment.
7. Il faut écrire cette phrase différemment.
8. Je vais tout vous raconter très simplement.

Exercice 9 : proposition de corrigé
1. Cet exercice est trop difficile.
2. Je peux difficilement vous aider, je ne connais pas le problème.
3. Nous avons eu un vent très violent cette semaine.
4. Quand il est parti, il a fermé violemment la porte.

Exercice 10
- pour commencer → n° 2
- pour se présenter → n° 6 - 8 - 16
- pour demander à quelqu'un de se présenter → n° 1 - 7 - 11 - 12
- pour demander à quelqu'un de patienter → n° 3 - 9 - 14
- pour proposer ou demander quelque chose → n° 4 - 5 - 10 - 13 - 15 - 17

Exercice 11 🎧
dialogue 1
Qui appelle ?
→ Guillaume.
À qui veut-il / elle parler ?
→ À Julien.
La personne est-elle là ? (oui / non)
→ Non.
Quel est le but de l'appel ?
→ Aller à la fête de la musique
dialogue 2
Qui appelle ?
→ Louis Legrand.
À qui veut-il / elle parler ?
→ Au directeur commercial.
La personne est-elle là ? (oui / non)
→ Oui.
Quel est le but de l'appel ?
→ L'organisation d'un voyage au Pérou.
dialogue 3
Qui appelle ?
→ Un homme de Tempo productions.
À qui veut-il / elle parler ?
→ À Madame Durupt.
La personne est-elle là ? (oui / non)
→ Non.
Quel est le but de l'appel ?
→ Fixer une date de réunion.

Exercice 12
Fiche A
dialogue 1
1. *Qui appelle ?*
→ François Mourou (société Activit')
2. *À qui veut-il / elle parler ?*
→ à Mme Lepic
3. *Quel est le but de l'appel ?*
→ la signature du contrat
4. *La personne est-elle là ? (oui / non)*
→ oui mais elle est en réunion
5. *Laisse-t-il un message ?*
→ oui
6. *Si oui, quel est le message ?*
→ Mme Lepic doit appeler M. Mourou jeudi matin
dialogue 2
1. *Qui appelle ?*
→ Laura
2. *À qui veut-il / elle parler ?*
→ à Catherine
3. *Quel est le but de l'appel ?*
→ questions sur les exercices de maths
4. *La personne est-elle là ? (oui / non)*
→ oui

Fiche B
dialogue 3
1. *Qui appelle ?*
→ Julia Lopez
2. *À qui veut-il / elle parler ?*
→ à Yann Cellier
3. *Quel est le but de l'appel ?*
→ reparler de la commande de début mars
4. *La personne est-elle là ? (oui / non)*
→ oui
dialogue 4
1. *Qui appelle ?*
→ Nicolas Gueslier

2. *À qui veut-il / elle parler ?*
   → à Francis
3. *Quel est le but de l'appel ?*
   → proposer à Francis de jouer au tennis demain matin
4. *La personne est-elle là ? (oui /non)*
   → non
5. *Laisse-t-il un message ?*
   → oui
6. *Si oui, quel est le message ?*
   → Francis doit rappeler Nicolas au bureau cet après-midi.

Exercice 13
1.c. - 2.d. - 3.f. - 4.h. - 5.a. - 6.g. - 7.b. - 8.e.

Exercice 14
1. Oui, on a même de plus en plus envie d'y aller.
2. Pas vraiment, ses goûts ont changé, il aime de moins en moins le rap.
3. On trouve qu'il y a trop de monde et on y va de moins en moins.
4. Ah ! oui, il est de plus en plus beau.
5. Bah oui, je ne sais pas pourquoi j'écris de plus en plus mal.
6. Oui, on aime beaucoup cette ville et on y a de plus en plus d'amis.
7. Oui, il fait de plus en plus froid.
8. Si, il est de plus en plus bizarre.

Exercice 15 🎧

	1	2	3	4	5	6
L'action continue.	x				x	x
L'action est terminée.		x	x	x		

Exercice 16
a)
1. Depuis **son départ** de Nice, je n'avais pas eu de nouvelles de Laura.
2. Je vois Michel plus souvent depuis **son mariage** avec Sabine.
3. Depuis **son arrivée** dans la société, tout le monde est tendu.
4. Réginald est devenu célèbre depuis **sa rencontre** avec Isabelle Adjani.
5. Depuis **la création** de son entreprise, François n'avait plus de loisirs.
b)
1. Depuis **que de nombreuses techniques ont évolué**, la vie quotidienne s'est transformée.
2. Lucie est d'excellente humeur depuis **qu'elle a réussi ses examens.**

3. Elle est très triste depuis que **Max est parti**.
4. Depuis que **nos examens ont fini (sont finis)**, on fait la fête tous les soirs.
5. Depuis **que Jean est arrivé** dans la maison, tout le monde se sent bien.

Exercice 17
1. depuis - 2. depuis que - 3. depuis - 4. depuis qu' - 5. depuis - 6. Depuis qu'

Exercice 18
1. il y a - 2. depuis - 3. Il y a - 4. il y a ; depuis - 5. depuis - 6. depuis - 7. Il y a - 8. depuis

Exercice 19 🎧
1. butte -(but)- but
2. (port)- pore - porc
3. sans -(sang)- cent
4. verre - verre -(vert)
5. près -(pré)- prêt
6. (mai)- mais - mets
7. (maire)- mer - mère
8. selle - celle -(sel)

Exercice 20
1. sûr - 2. C'est ; ces - 3. quant - 4. ça - 5. On ; ont - 6. dû - 7. mis - 8. faite

Exercice 21
1. vrai - 2. vrai - 3. ? - 4. faux - 5. faux - 6. ? - 7. faux

---

Unité 12 pages 108 à 114 :
Abus de consommation

Exercice 1
1. inventé - 2. améliorer - 3. discrimination - 4. cesser - 5. célébrer - 6. respecter - 7. consommation - 8. importations

Exercice 2

le verbe	l'action	la personne
produire	*la production*	le producteur
importer	l'importation	*l'importateur*
acheter	l'achat	l'acheteur
consommer	la consommation	le consommateur
construire	la construction	le constructeur
diriger	la direction	le directeur

Corrigés

Exercice 3

1. en fait - 2. en fait - 3. en effet - 4. En effet - 5. En effet

Exercice 4

1. (par ailleurs ; quant à)
2. (en effet ; aussi)
3. (Par ailleurs ; En fait)
4. (d'autre part ; par ailleurs)
5. (En réalité ; En effet)

Exercice 5

1. Il faudra contacter Muriel Legrand. Il faudra **aussi** que vous rencontriez le directeur de la Société Beaudoin.
2. Je vous propose de faire autrement. **D'une part**, cela permettra de ne pas commettre les mêmes erreurs qu'avant. **D'autre part**, on obtiendra, je crois, de meilleurs résultats.
3. Amina ne peut pas parce qu'elle est de garde à l'hôpital. **Quant à** Vincent, il/Vincent, **quant à** lui, ne m'a pas encore dit s'il pouvait venir.
4. Le parc est ouvert tous les jours de 8 heures à 19 heures. **Par ailleurs**, nous proposons un spectacle de nuit, tous les samedis, entre 21 h 30 et 0 h 30.
5. Je pensais que c'était gratuit. **En réalité**, il fallait payer 5 euros pour entrer !

Exercice 6

1. en effet - 2. quant à - 3. d'autre part - 4. par ailleurs - 5. en fait

Exercice 7

Le développement touristique présente de nombreux avantages.

Il permet d'abord de créer de nombreux emplois dans notre ville.

Ensuite, l'argent apporté par le tourisme sert à rénover ou entretenir nos monuments et à rendre la ville plus belle.

Enfin, notre ville est mieux connue dans les autres régions ou les autres pays.

Le développement touristique n'est pas aussi simple qu'on le pense.

Il faut, premièrement, créer les structures d'accueil qui permettent de passer de 5 000 habitants en hiver à 50 000 habitants en été.

Puis, il faut, chaque année, essayer d'offrir de meilleures conditions d'accueil.

Enfin, pour conserver le nombre de touristes, il faut faire de la publicité dans les autres régions et les autres pays.

Exercice 8

Selon une étude de l'INSEE publiée récemment, les inégalités entre femmes et hommes subsistent.

D'abord, dans le monde du travail, deux caractéristiques rendent la recherche d'emploi difficile. **D'une part**, entre 25 et 49 ans, 80 % des femmes sont actives contre 95 % des hommes. **D'autre part**, le taux de chômage des femmes est plus élevé que celui des hommes (10 % contre 7 %).

Par ailleurs / Ensuite, leur salaire est inférieur à celui des hommes. **En effet** les Françaises gagnent environ 18 % de moins que les Français.

Ensuite / Par ailleurs, les personnes de 30-45 ans qui élèvent seules leurs enfants sont essentiellement des femmes : on compte 11 % de mères seules contre 1,4 % de pères isolés.

Les emplois de chercheurs ne sont occupés par des femmes qu'à 25 %, **quant aux** postes de direction dans les entreprises, ils sont encore aux mains des hommes à 86 %.

Enfin, en politique, on ne compte que 11 % de députées et seuls 7 % des maires de France sont des femmes.

Exercice 9 🎧

1. on a pris beaucoup de retard.
2. je ne connais pas la ville
3. tu as du temps.
4. personne ne dit la même chose

Exercice 10 🎧

	1	2	3	4	5	6	7	8
cause		X	X					
conséquence	X				X			
opposition						X		X
but				X			X	

Exercice 11

1. (en raison d' - au lieu d')
2. (comme - pourtant)
3. (puisque - afin que)
4. (si bien que - bien que)
5. (par conséquent - en revanche)
6. (c'est pourquoi - étant donné que)
7. (en conséquence - même si)
8. (pour que - si bien que)

Exercice 12

1. On ne peut pas ouvrir toutes les salles du musée en raison d'un manque de personnel.
2. Ce serait mieux de réduire le salaire du directeur au lieu du salaire des employés.
3. J'étais vraiment très fatigué si bien que je suis rentré chez moi très tôt.
4. Comme mes parents n'étaient pas à la maison, on a fait la fête jusque vers 2 heures du matin.

5. Malheureusement, ma candidature a été refusée étant donné que j'ai seulement une licence de gestion commerciale.

6. Je ne suis pas sûr d'avoir le poste bien que je parle anglais, arabe et japonais.

Exercice 13

1. J'ai beau la connaître depuis dix ans, elle me surprend toujours.

2. Il a beau gagner beaucoup d'argent, il n'est pas très heureux.

3. Vous aurez beau consulter dix médecins, ils vous diront la même chose que moi.

4. J'ai eu beau courir, j'ai raté le train.

5. Tu as beau suivre des cours, ton anglais est toujours aussi mauvais.

6. Ils avaient beau avoir des produits de qualité, ils n'arrivaient pas à les vendre.

7. J'ai beau faire des efforts, elle n'est jamais contente de mon travail.

8. Elle a beau avoir un bon diplôme, je trouve qu'elle n'est pas compétente pour ce poste.

Exercice 14 : proposition de corrigé

1.

Afin de pouvoir vivre les entreprises commerciales doivent vendre une quantité minimale de produits. Si elles veulent gagner plus d'argent, elle doivent vendre plus de produits. C'est pourquoi elles doivent souvent faire de la publicité pour trouver de nouveaux clients. La publicité est faite pour que les clients achètent. Elle leur dit de jolies choses, elle crée chez eux des besoins et c'est elle qui décide de ce qui est bon pour eux. En conséquence, les clients deviennent des marionnettes de l'économie.

Pourtant, le client a le droit de décider lui-même quels produits il veut acheter. Même si la publicité lui dit qu'il a besoin d'un nouvel aspirateur, il peut refuser et continuer d'utiliser son vieil aspirateur. Mais les entreprises et la société ont beaucoup d'influence sur les gens. Ils ont beau vouloir ne pas acheter, ils sont souvent obligés de le faire.

2.

Mon oncle a beaucoup voyagé quand il était jeune. Il a travaillé dans plusieurs pays et il a fait beaucoup de voyages touristiques. Comme il restait souvent longtemps dans un même pays, il avait le temps d'apprendre comment les gens vivaient. Grâce à ses découvertes dans les pays étrangers, il apprenait beaucoup sur sa vie à lui et sur son pays. Pourtant, il regrettait de devoir aller toujours très loin de son pays.

Même si les voyages forment la jeunesse, il faut aussi pouvoir rester près de chez soi, près de sa famille et de ses amis. Par conséquent, après beaucoup de voyages, il faut pouvoir rentrer dans son pays. Par ailleurs, pour découvrir d'autres choses, il n'est pas nécessaire d'aller très loin et on peut découvrir beaucoup dans son pays.

Exercice 15

	1	2	3	4	5	6
exprimer la surprise	x			x		x
approuver une opinion		x	x		x	

Exercice 16 : proposition de corrigé

1. – Caroline ! C'est vrai ? Je n'en reviens pas ! Elle n'a jamais quitté sa région et maintenant elle s'en va au bout du monde !

2. – Je suis entièrement de ton avis. Viens, vite, on va ailleurs !

3. – Mais, oui ! Évidemment ! Mais, euh, tu sais, là, j'ai un rendez-vous, alors je dois partir. Je t'appelle ! Salut.

4. – Il n'y a pas de doute ! Elle n'aurait pas dû te parler de cette façon.

5. – J'ai du mal à le croire. Et Martial, est-ce qu'il sait qu'il va se marier ?

6. – Sans aucun doute ! On est mercredi. Alors, disons, demain ? Et puis vendredi, et samedi, et dimanche...

Exercice 17 : proposition de corrigé

– Abder a démissionné de son travail.

– Abder ? Non ! Avec le poste qu'il a actuellement ! Tu es sûre ?

– Oui, oui, vendredi dernier. Et il démissionne pour créer son entreprise.

– Alors, là, je n'en reviens pas !

– Alors, la météo ?

– Toujours pareil : vent, nuages, pluie...

– Bon, on n'a pas le choix : il faut qu'on annule le spectacle.

– Sans aucun doute ! On ne peut pas jouer avec un temps pareil !

Exercice 18

1. nuage - nouage

2. muette - mouette

3. lui - Louis

4. enfui - enfoui

5. puer - pied

6. juin - Gien

7. suer - scier

8. nuée - nier

Corrigés

Exercice 19 🎧

a) 1. Je ne **sui**s pas pers**ua**dé.
   2. N'oublie pas ta b**ou**ée !
   3. Il ne l'a pas t**ué** ?
   4. Il a l'**ou**ïe très développée.
   5. Tes lunettes sont dans l'é**tui**.
   6. C'est notre s**ou**hait le plus cher.
   7. Vous voulez bien me s**ui**vre ?
   8. Tu as vu cette n**ué**e de moustiques ?

b) 1. Il l'a é**pi**é toute la journée.
   2. Ass**ie**ds-toi.
   3. Achète un po**i**sson ent**i**er !
   4. Ils ont p**i**llé la banque.
   5. Ce n'est pas le t**ie**n ?
   6. On voit sa l**u**ette.
   7. Ça p**u**ait.
   8. Ramasse ces m**i**ettes, s'il te plaît.

Exercice 20 🎧

	1	2	3	4	5	6	7	8
[j]	X				X		X	
[ɥ]		X		X				X
[w]			X			X		

Exercice 21 🎧

1. Virginie
2. une jupe et un haut
3. rien
4. un pantalon noir
5. pour son mari et sa fille
6. le mari de Marie
7. chez Vanille et Albertina
8. à Anne